KEVIN LEMAN

SETE SEGREDOS QUE ELE NUNCA VAI CONTAR PRA VOCÊ

... MAS QUE VOCÊ PRECISA SABER

Traduzido por EMIRSON JUSTINO

mundocristão
São Paulo

Os textos das referências bíblicas foram extraídos da Nova Versão Internacional (NVI), da Sociedade Bíblica Internacional, salvo indicação específica.

Dados Internacionais de Catalogação na Publicação (CIP)
(Câmara Brasileira do Livro, SP, Brasil)

Leman, Kevin

Sete segredos que ele nunca vai contar a você /Kevin Leman; traduzido por Emirson Justino. — São Paulo: Mundo Cristão, 2011.

Título original: Seven Things He'll Never Tell You.
ISBN 978-85-7325-629-1

1. Homem — Psicologia 2. Homem-mulher — Relacionamento
3. Masculinidade (Psicologia) I. Título.

10-01666 CDD-155.632

Índices para catálogo sistemático:
1. Comportamento masculino : Psicologia 155.632
2. Homens : Psicologia 155.632

Categoria: Casamento

Publicado no Brasil com todos os direitos reservados por:
Editora Mundo Cristão
Rua Antônio Carlos Tacconi, 69, São Paulo, SP, Brasil, CEP 04810-020
Telefone: (11) 2127-4147
www.mundocristao.com.br

1ª edição: janeiro de 2011
Impressão em sistema digital sob demanda

Este livro é carinhosamente dedicado a minha filha favorita — é assim que ela se refere a si mesma — Hannah Elizabeth Leman.

Eu e sua mãe temos muito orgulho
da mulher que você se tornou.
Amo você.

Papai (e mamãe também)

SUMÁRIO

À minha maravilhosa editora, Ramona Cramer Tucker.
Esperava excelência de você, e você sempre correspondeu de maneira altamente profissional. Você é muito querida.

INTRODUÇÃO

O que um homem realmente almeja...

Gosto de ser homem.

Uma mulher gasta uma hora ou duas no salão para fazer as unhas. Mas eu consigo fazer minhas unhas quando o semáforo está vermelho, em dez segundos ou menos, com os dentes da frente. Consigo até fazer uma competição para ver quantas vezes consigo acertar o velocímetro com os pedaços de unha que cortei.

(Se você está dizendo: "Ai, seu grosso!", certamente é mulher. Se fosse homem, diria: "Legal, bingo! Tenho uma pilha de unhas no painel do meu carro".)

Posso usar a mesma bermuda vários dias. Não me toco de que preciso trocá-la, a não ser que veja outra à minha espera na cadeira do quarto... ou quando Sande, minha esposa, me dá uma limpa, me manda vesti-la e enfia a outra na máquina de lavar o mais rápido possível.

Sinto que estou bem-vestido e pronto para qualquer coisa quando minha camisa tem apenas uma mancha e quando estou usando meu uniforme, ou seja, camiseta, bermuda, tênis e boné. Estou vestido assim 95% do tempo.

Um dia desses, enquanto preparava uma xícara de café para levar à minha esposa, na cama, como faço todas as manhãs, minha filha Krissy apareceu com meus dois netos, Conner e Adeline. Fiquei tão entusiasmado em vê-los que deixei cair algumas gotas de café no piso da cozinha. Sendo assim, o que fiz? Peguei meu tênis e espalhei as gotas um pouco mais para que pudessem secar mais rápido.

"Paaaai!", disse Krissy, estupefata. "Isso é coisa *de homem*!".

É exatamente isso que sou. Homem.

Não gosto de compartilhar minha comida com ninguém. Mas sou o primeiro a clamar pelo direito de posse sobre qualquer coisa que esteja no prato de Sande.

Sou o mais daltônico possível.

Não peço informações.

Fico impaciente quando você começa a contar uma história muito comprida. Não consigo deixar de pensar: "E aí, onde quer chegar?".

Às vezes ajo como uma criança de quatro anos que precisa ter as coisas na hora... incluindo *toda* a sua atenção. Em outras ocasiões, sou o herói da minha esposa.

Quando digo alguma coisa, digo para valer. Gosto de falar de modo direto aquilo que precisa ser dito. Quando estiver quieto, porém, espero que você entenda que não estou apaixonado pelo que está dizendo, mas que não quero ferir seus sentimentos.

Sou durão... mas sou terno por dentro, especialmente no que se refere à minha família. (Pergunte à Krissy quantas vezes chorei quando soube que ela estava noiva, quando experimentou seu vestido de noiva pela primeira vez, quando caminhou pelo corredor da igreja, quando disse que estava grávida da primeira e da segunda vez e quando a vi segurando aqueles bebês pela primeira vez.)

A verdade é que não sou um enorme quebra-cabeça. E nenhum homem é. Nós, homens, somos muito simplórios. O caminho que leva ao nosso coração está bem sinalizado, mas também é estreito, pois só o abrimos para poucos. Porque, para um homem, compartilhar seu coração pode ser terrivelmente arriscado.

Se foi você quem escolheu este livro, parabéns. Você se importa com os homens presentes em sua vida e quer melhorar o relacionamento que tem com eles. Seja você casada, ou viva junto, ou namore, ou esteja noiva, ou procure alguém especial ou simplesmente deseje entender melhor um filho, um irmão ou um pai, *Sete segredos que ele nunca vai contar pra você* revelará as questões mais íntimas do coração de um homem.

O que o motiva.

O que o desanima.

Como você pode ter o relacionamento mais satisfatório possível com ele.

Quando está namorando aquele homem especial, você sempre dá o melhor de si. Então, o conquista, ou ele conquista você, e os dois decidem que "se amarraram". Você quer permanecer nessa relação para sempre. Espera ansiosamente pelo momento em que dirão "boanoite" um ao outro sem precisar ir de novo para locais separados. Imagina noites românticas juntos, envolvidos nos braços um do outro, diante da lareira de sua própria casa.

Depois da cerimônia de casamento, vocês se concentram em viver a vida juntos. Definir a carreira, decidir quem fará o que em casa, quem vai verificar a hora da troca do óleo do carro, quem pagará as contas etc. Em algum momento no meio de toda essa encrenca, você, mulher, alguém que naturalmente resolve problemas, se vê diante de uma ideia perturbadora: "Não me lembro de ter me irritado com isso antes. Será que ele sempre fez isso? Como posso fazer que ele pare?".

De repente, surge um abismo entre suas expectativas e a realidade de viver com seu homem. "Será que ele acha que sou sua empregada?", você pode pensar, especialmente quando encontra uma pilha de roupas sujas ao lado do criado-mudo dele.

"O que é mais importante para ele: reunir-se com os amigos ou ficar um tempo comigo? E, se ele gosta desse 'encontro com os amigos', por que fica todo chateado quando saio com uma amiga?"

"Achei que já havíamos conversado sobre o orçamento. Estou seguindo o que definimos. Então, ele sai e compra aquela TV de plasma. Não temos condição de ter aquilo. O que ele tinha na cabeça?"

"Se ele é engenheiro, por que nunca conserta aquela torneira que está pingando?"

A lista pode prosseguir. Se não estiver consciente das verdadeiras necessidades de um homem — com o que ele sonha, em que pensa e o que motiva tudo o que faz — você pode começar a ficar decepcionada. O mal-entendido pode transformar-se em ira e amargura. Você pode começar a pensar: "Não foi isso que comprei".

Estudos revelam que, hoje em dia, cerca de 50% dos casamentos terminam em divórcio. E, dos outros 50% de casais que ficam juntos, somente metade está satisfeita com o relacionamento.[1] Não é surpresa que os casamentos durem em média apenas sete anos.

Assim, deixe-me fazer-lhe uma pergunta: quanto você está satisfeita *agora* com seu relacionamento?

Se tivesse uma varinha mágica e pudesse mudar uma única coisa — grande ou pequena — em seu homem, o que mudaria?

Reforma em casa: alguém pode ajudar?

Você já assistiu a algum daqueles programas de televisão sobre melhorias na casa de uma pessoa? Aqueles que dizem como embelezar sua casa num passe de mágica, mas com um orçamento exequível? Os especialistas fazem tudo parecer tão fácil...

"De uma bagunça total para uma cozinha de revista em dez minutos ou menos."

"Oito ideias simples para tornar sua sala de estar mais aconchegante."

"Mude de um quarto marrom da década de 1970 para um de 2010, chique, num final de semana."

Mas, então, o que acontece? Você arruma todas as coisas para começar a trabalhar e... descobre que as coisas serão um pouco mais difíceis do que pareciam. Podem levar um pouco mais de tempo do que você imaginava. Mas certamente fica bonito depois de pronto. O tempo, o gasto e qualquer aborrecimento valem a pena.

Que tal outro tipo de reforma em sua casa? Uma que inclua você e seu homem. A maioria das pessoas que vivem um relacionamento possui a *expectativa* de que pode mudar a outra pessoa. Acha que, se trabalhar bastante, por tempo suficiente, e se resmungar bastante, a outra pessoa terminará mudando.

No entanto, isso é mais ou menos como tentar remover as manchas de um leopardo. É claro que você pode tentar transformá-lo num animal de uma única cor passando uma palha de aço em sua pele, mas não vai eliminar aquelas manchas. Vai apenas irritar o leopardo.

As transformações funcionam muito bem com roupas, cabelos e casas, mas não funcionam muito bem com leopardos ou com os homens de sua vida.

Já ouviu falar do grande reformador Martinho Lutero? Seu pensamento e seus escritos conduziram à Reforma Protestante, que transformou grande parte da vida e da filosofia eclesiástica no que conhecemos hoje. Mas sua personalidade de palha de aço também irritou muitas pessoas durante o processo.

A mulher que se propuser a ser uma Martinha Lutero — a grande reformadora de seu casamento — não chegará muito longe antes de irritar o homem de sua vida a ponto de fazê-lo se calar. Assim, se você entrou no casamento pensando: "Bem, não gosto de tal coisa nele, mas posso mudar isso", pare exatamente onde está. Considere a seguinte verdade: você ainda é a pequena criança que foi um dia.

Ninguém gosta de que lhe digam o que fazer... especialmente um homem. Para pegar um rato, é preciso colocar queijo — uma das coisas prediletas do rato — na ratoeira. Você pode tentar colocar abacaxi, mas a única coisa que vai conseguir é uma ratoeira vazia.

Do mesmo modo, você precisa *entender* o espécime masculino antes de tentar mudá-lo. Se não fizer isso, poderá ter boas intenções, mas vai abordar a situação da forma errada.

Por mais que a sociedade tente fazer que os dois sexos sejam andróginos, homem e mulher são claramente diferentes. Eles são iguais? Sem dúvida! Mas são diferentes um do outro.

Quando conversam sobre o homem de seus sonhos, as mulheres usam palavras como *firme*, *protetor*, *bonito* e *forte*. Contudo, a mídia está se esforçando muito para transformar a imagem do homem num rapazola feminino e fracote. Alguém que será um amigo, que fará compras com você, que vai sempre olhá-la nos olhos e lhe dará sempre os toques verbais e emocionais que você deseja.

Mas o casamento feliz é aquele no qual os dois parceiros entendem, aceitam e celebraram suas diferenças. Eles gostam de se relacionar um com o outro e ver o mundo por meio dos olhos singulares do outro. Facilitam as coisas um para o outro nos momentos difíceis. (Antes de ficar irritada com seu marido, apenas pense no quanto você é irritante durante aquele "período especial" do mês. Isso colocará muitos ressentimentos mesquinhos na devida perspectiva.)

Casais que trabalham juntos aprendem a ver o estresse não como um ataque pessoal, mas como um desafio que podem enfrentar juntos. A chave para o crescimento e a melhora no casamento está em descobrir maneiras de dizer: "Entendo como você se sente e farei o melhor para satisfazer suas necessidades. Amo você e estarei ao seu lado para sempre".

Mais exatamente, quais são as principais necessidades de um homem?

As três coisas que ele mais quer

Recentemente, quando falava num evento para mulheres, fiz esta pergunta às mulheres: "O que você considera a necessidade número 1 da vida de um homem?".

— Comida! — gritou uma mulher de meia-idade.

Todas riram.

— O controle remoto! — interrompeu uma ruiva.

Mais risadas da plateia.

— Sexo! — disse uma morena.

Murmúrios no auditório.

— Tudo bem, eu já esperava tudo isso — disse eu — mas isso não é verdade.

Houve uma pausa mortal, algumas faces confusas e mais de um par de sobrancelhas se erguendo.

— Vou falar sobre isso daqui a pouco — brinquei. — De que mais vocês acham que um homem precisa?

— Coisas básicas, como que eu lhe dê um tempo — disse uma mulher mais velha. — Admiração.

Concordei, balançando a cabeça.

— Sim, isso é realmente importante. Mas o que mais?

Depois de mais algumas respostas, como ter uma carreira, dinheiro e sucesso — sendo que nenhuma delas tenha atingido conquanto o alvo que eu procurava —, podia dizer que as mulheres estavam ficando um pouco frustradas. Entendi a razão. Afinal de contas, vocês, mulheres, são as maravilhas relacionais do mundo. Vocês adoram descobrir coisas e são muito boas nisso. De todas as pessoas, vocês são as que têm melhores condições de entender os homens.

Finalmente, disse:

— Você não precisa de um PhD em análise de alguma coisa para decifrar o que motiva um homem. É muito fácil entender os homens. Para fazer isso, porém, você precisa saber o que se passa dentro de um homem — o que está no cerne da psique masculina. Só então você será capaz de encontrar maneiras de responder de forma positiva aos comportamentos ou às palavras que, de outro modo, podem deixá-la louca. Mas este é o trato: *vocês* é que colocam a relação em movimento. Porque, assim que entenderem os homens, perceberão que, no coração, eles são como meninos. Querem agradá-las e têm um medo enorme de ferir seus sentimentos, porque vocês podem rejeitá-los.

Então, passei aos detalhes práticos. Falei sobre as três principais necessidades do homem e disse que essas necessidades têm tudo a ver com a mulher da vida dele: você. Essas três necessidades têm tudo a ver com a maneira de um homem pensar, agir e se comportar. Elas fazem parte dos sete segredos que ele nunca contaria pra você... mas que você precisa saber. São totalmente precisas em 85% dos casamentos, pois em 15% deles os papéis do casal estão trocados. (Se você se encaixa nessa categoria dos papéis trocados, não pare de ler. Você ainda encontrará muita esperança neste livro.)

Portanto, aqui estão elas: as três principais necessidades de um homem.

- Ser respeitado
- Ser necessário
- Ser satisfeito

"O quê? Onde está o amor nessa mistura?", você pode estar pensando. "O amor não é importante também para os homens?" Pergunte a qualquer homem se ele prefere ser amado ou respeitado, e a maioria dirá "respeitado". Porque, se um homem não for respeitado, não se sentirá amado.

Respeite-me

Vocês sabem, mulheres, como são assustadoras? Vocês são hábeis para programar tarefas e eventos. O que conseguem fazer todo dia é o equivalente a subir ao monte Everest várias vezes. Vocês não apenas conseguem fazer que a casa funcione de modo tranquilo, como o fazem lindamente. São uma parte ativa dos eventos da escola, da vizinhança, da comunidade e da igreja. Vocês cuidam da agenda de todos — a sua, a do marido e, com frequência, a das crianças — sem nenhum esforço (pelo menos é o que nos parece). Vocês se lembram de aniversários, papéis que precisam ser assinados e devolvidos à escola, animais que necessitam ser alimentados e que precisam passear e horários de consultas médicas. Cerca de 72% de vocês também trabalham fora de casa — e conseguem dar conta de tudo também!

Francamente, às vezes o que nós, homens, conseguimos fazer durante o dia não parece muita coisa quando ouvimos a ladainha de como foi o dia dela.

Como as maravilhas relacionais do mundo, as mulheres também parecem saber de tudo o que acontece em todas as áreas nas quais estão envolvidas... assim como a última fofoca da casa do vizinho. Pelo fato de ter necessidade de falar e por gostar muito de fazê-lo, vocês conhecem os outros muito rapidamente.

Veja o que quero dizer: você entra num avião e se senta ao lado de outra mulher. Durante um voo de uma hora, você aprende o nome dela, o que ela está fazendo naquele voo, o nome e a ocupação de seus dois filhos, o melhor lugar para comprar na cidade aonde vocês estão indo, três histórias sobre algo que seu marido bobo fez recentemente e muito mais.

Compare isso com este exemplo: você entra num avião e se senta ao lado de um homem. Tenta envolvê-lo numa conversa, mas ela só vai até algo como "dia bonito, não?".

O homem balança a cabeça... uma vez... e volta a ler seu jornal. Ele não sente nenhuma necessidade de ir mais além com uma mulher com a qual não tem nenhuma relação.

Se fossem dois homens sentados um ao lado do outro, toda a sua conversa seria um sinal com a cabeça por cima do jornal. Isso é tudo o que precisa ser compartilhado.

Sabe, um homem não sente necessidade de conversar. Pelo fato de a mulher usar em média três, cinco vezes mais palavras que um homem todos os dias, você está louca para conversar com seu marido quando ele volta do trabalho. Contraste isso com seu homem, que já usou sua cota de palavras no trabalho. A única coisa que ele quer agora é ficar em silêncio. Mas isso não significa que ele não esteja disposto a escutá-la. Ele ainda quer ouvir você; talvez simplesmente não sinta necessidade de contribuir com algo durante a conversa. Ele quer que você o respeite ao informá-lo sobre seu dia — especialmente sobre qualquer coisa importante para a vida da família. (Ele se sente realmente desprezado se ouvir da boca de outra pessoa alguma coisa que tenha acontecido em sua própria família.)

Você também lhe mostra respeito ao tratá-lo como adulto (mesmo quando ele agir como se fosse uma criança). Minha esposa, bendita seja, é a primogênita de sua família. Ela é a prova viva daquilo que acredito em relação aos primogênitos. Os primogênitos *adoram* dizer às pessoas o que elas devem fazer.

Por cerca de quarenta anos, sento-me na minha cadeira de couro todas as manhãs, tomando uma xícara de café e assistindo a TV. Também leio o jornaleco local e um jornal de circulação nacional e, então, de maneira bem malcriada, deixo-os caídos junto aos pés da cadeira. Por quase quarenta anos, minha querida Sande tem insistido comigo para que pegue os jornais.

Não é que ela queira ler os jornais; não está interessada neles. Mas ela adora me lembrar — me dar bronca — e faz isso há cerca de quarenta anos.

Faça as contas: 365 dias (descontando os anos bissextos) X 40 anos = 14.600. Isso significa que ela já me disse para pegar o jornal 14.600 vezes. Será que ela acha que se parasse de me pedir para pegar o jornal ele permaneceria ali, negligenciado e formando uma bagunça, aos pés da cadeira? Será que ela realmente acredita que eu não o removeria e o jogaria no lixo?

Veja este outro caso. Sande passaria a noite fora numa sexta-feira, num retiro de mulheres. Enquanto passava pela porta naquela noite, pediu-me que fosse a uma rotisseria para pegar duas tortas de limão, na manhã seguinte, uma vez que ela não conseguiria chegar em casa a tempo de preparar as tortas para um evento da família, na noite de sábado.

No sábado de manhã, levantei-me e encontrei um bilhete:

> Querido Leemie:
> Já estou com saudades.
> Não se esqueça de pegar as tortas.

Ri sozinho. Afinal de contas, frequentei uma universidade por treze anos, de modo que acho que consigo reter um pensamento de uma noite até a manhã seguinte. Mas essa é a Sande, Deus a abençoe.

É a mesma mulher que, nove dias atrás, comprou tinta para o rapaz que está tentando restaurar nosso deque, que foi destruído pela chuva forte. Onde está aquela lata de tinta agora? Ainda está nos degraus de pedra na entrada de casa, onde ela deixou assim que a tirou do carro. Os rolos também estão lá.

Passo todos os dias por ali, vejo a tinta e os pincéis e dou risada. Meu jornal precisa ser retirado do chão na mesma data em que foi publicado. (Na verdade, neste exato momento, são nove e trinta e cinco, já li o jornal inteiro e o depositei no cesto de papel para reciclagem. Isso é uma norma no lar dos Leman.) Contudo, a tinta e os rolos de pintura da minha querida esposa podem ficar ali, orgulhosos, bem na porta de nossa casa, sem que ela se incomode.

As mulheres são realmente um mistério.

Porém, pelo fato de amar Sande e entender esse tipo de coisas nela, suspiro por dentro e deixo que me diga o que fazer... mais uma vez. Ela certamente já aguenta o suficiente de minha personalidade tão peculiar e não deixa as coisas piorarem. E eu sempre dou uma risadinha quando passo diante de seu projeto inacabado.

A coisa importante aqui é respeitar um ao outro, mesmo diante das coisas peculiares que podem deixar qualquer um maluco. Como meias sujas embaixo da cama. Pasta de dente respingada na pia. Telefones sem fio que sempre desaparecem da base. Copos que são deixados no quintal. Afinal, por que dar tanta importância às coisas pequenas?

Nós, homens, podemos parecer durões do lado de fora, mas somos frágeis por dentro. Se nos sentirmos desrespeitados ou rebaixados, ficaremos calados e vamos nos fechar. Vamos entrar de cabeça no trabalho. Vamos ficar cada vez menos tempo em casa. Vamos procurar outras fontes de respeito — como fazer uma tonelada de horas extras à noite e nos fins de semana, longe de casa.

Sem respeito, não há nada sobre o que construir nosso relacionamento. Nenhum alicerce. Sem respeito, um homem não se sente amado.

A necessidade número 1 de um homem é sentir-se respeitado... especialmente por você.

Tenha necessidade de mim

Você sabia que seu homem é dependente de você? Por sermos menos "relacionais", nossa tendência é ter muito menos amigos. Sim, temos colegas para brincar no computador, caçar, correr e malhar juntos na academia, mas eles são mais aquilo que você chamaria de "conhecidos". Aqueles de nós que possuem um bom amigo — Cabeça de Lua e eu somos amigos de longa data — podem considerar-se felizardos. Leve em conta o seguinte: durante todos esses anos que nos conhecemos, houve apenas uma vez em que eu e Cabeça de Lua conversamos direto por 36 minutos. E isso aconteceu quando estávamos discutindo um assunto bastante sério. Mas ter conversas tão longas quanto aquela é extremamente raro para nós... ou para qualquer homem.

Você, porém, como mulher, não acha que houve uma conversa verdadeira se ela não durou pelo menos três horas e cinquenta minutos e se vocês não discutiram de múltiplos ângulos, diversos assuntos.

Pelo fato de os homens terem menos amigos, você ocupa um lugar muito maior nos pensamentos de seu homem do que pode imaginar. A verdade é que você é a pessoa com quem seu marido mais se importa. Embora pareça que seu ego esteja envolto por aquilo que ele faz profissionalmente, não se deixe enganar por isso.

Embora os homens se identifiquem com seu trabalho — promoções, aumentos de salário e elogios por um trabalho benfeito são imensamente importantes para eles —, o lugar em que seu marido deseja ser mais bem-sucedido é em casa. Debaixo de toda aquela ousadia, aqueles rosnados e a falta de comunicação de tempos em tempos, seu homem precisa ser seu herói. E que mulher não gostaria de ter isso como meta?

De fato, se deseja um homem que demonstre o amor que tem por você ao surpreendê-la com flores, um homem que seja um grande pai, um homem que sempre vá aos jogos dos filhos, um homem que seja um guerreiro que luta por você e pela família, então aqui está o segredo. Ele precisa que *você* tenha necessidade dele. Ele precisa ouvir isso com suas palavras e percebê-lo em suas ações. Ele precisa ouvir você dizendo a uma amiga ao telefone:

"Você sabe o que meu marido maravilhoso fez na semana passada? A casa estava uma bagunça, e eu precisava de ajuda. Estava sobrecarregada por conta de um projeto em situação delicada e tenho trabalhado muito no escritório. Na quarta-feira, estava tão cansada que queria apenas chorar. Não tinha forças nem para passar no mercado no caminho de casa. Estava pensando em fazer uma sopa de latinha como jantar.

"Mas adivinhe só! Quando passei pela porta, a sala de estar estava arrumada, a louça suja do café da manhã estava na lava-louças, e senti o cheiro do meu prato preferido de comida chinesa. Oh, eu amo esse homem! Ele sabia quanto eu precisava de sua ajuda."

Ele precisa de que você seja eficiente e independente... mas não eficiente e independente demais. Necessita de que permita que ele faça coisas para você, ainda que não as faça exatamente como você gostaria.

Você pode ganhar um salário mensal de cinco dígitos. Você pode estar encarregada de cuidar das crianças o dia inteiro. Pode estar cuidando de todos os quatro filhos — com idades que variam de cinco a dezoito anos. Você pode achar que se está saindo muito bem sozinha. Pelo menos na maior parte dos dias.

Cuidado, porém, para não ser independente demais, porque, assim, a mensagem que estará transmitindo sutilmente ao homem que você ama é: *Não preciso de você*. E que camarada viril quer permanecer onde está quando fica claro que ele não é necessário? Que sua contribuição à família — como provedor, marido, pai — não é reconhecida?

Os homens são bichos estranhos, devo admitir. Se nos tratarem direito e nos afagarem, vamos ronronar como gatinhos e fazer de tudo para que vocês sejam felizes. E, diferentemente da maioria dos gatos, que tratam as pessoas como empregadas, e não como família, a maioria de nós será leal até o fim de nossos dias se vocês nos respeitarem e mostrarem que precisam de nós.

Se um homem sabe que seu papel na família não pode ser desempenhado por mais ninguém, ele ficará bem, mesmo quando sua empresa cortar postos de trabalho e ele ficar sem emprego. Mesmo quando seu físico de vinte e poucos anos se transformar naquela coisa flácida aos quarenta. Mesmo quando ele se esquecer de seu aniversário ou fizer uma grande besteira com as finanças da família.

A necessidade número 2 de um homem é sentir-se necessário... especialmente para você.

Satisfaça-me

Quando seu homem a escolheu como sua alma gêmea, ele o fez por uma razão. Veja o que ele estava pensando: "Acabei de encontrar a mulher dos meus sonhos. Vou me casar com ela, amá-la para sempre e tê-la para sempre. Ela me pertence. Faremos sexo maravilhosamente para sempre".

Então, surgiu a realidade, logo depois do romance, da cerimônia de casamento e da lua de mel. A vida voltou ao "normal". Ele está muito ocupado com o trabalho (ou procurando um trabalho). Você começou a se sentir a "mulher velcro": tudo e todos estão grudados em você, querendo um pedaço de você. Você ficou esgotada emocional e fisicamente tentando satisfazer as necessidades de todos ao mesmo tempo.

Uma vez que ele já "concluiu a tarefa do casamento", agora volta sua atenção para o sucesso de sua carreira e o sustento de sua família. De repente, você passou a receber menos rosas vermelhas, menos atenção romântica e, sejamos honestos, começou a sentir que, às vezes, é como se fosse propriedade dele, não seu amor.

Então, se e quando as crianças entram no circuito, sua vida como família torna-se ainda mais complicada. Houve uma época em que você pegava seu marido olhando para você com aquele olhar e sabia exatamente o que ele tinha em mente. Mas hoje em dia não dá mais para interromper a preparação do jantar para uma brincadeira rápida nos lençóis como costumavam fazer, uma vez que, agora, há uma criança de dois anos de idade gritando por comida. Também existe aquele trabalho de ciências do filho que está na quinta série e que precisa ser entregue amanhã.

Às 21 horas, quando as crianças estão enfiadas na cama, você está exausta. A última coisa que passa por sua cabeça é satisfazer as necessidades de outra pessoa. Afinal de contas, não foi isso o que você fez o dia todo?

Desse modo, mais uma vez, o homem com quem você se casou, que lhe dizia: "Você é a mulher dos meus sonhos", recebe apenas aquilo que restou de você. Apenas as partes que dizem: "Estou cansada demais para me divertir".

E, para o seu marido, o sexo é a terceira coisa mais importante.

Surpresa? Duvido. O que você talvez não saiba é isto: a satisfação sexual é importante para um homem. Mas existe uma diferença entre simplesmente fazer sexo e estar satisfeito sexualmente. Sua atitude em relação ao sexo — assertiva, agressiva, divertida, fria, negligente, mecânica ou "vamos acabar logo com isso" — faz toda a diferença para seu homem.

Sendo direto e objetivo, seu marido precisa de sexo — e precisa de você para o amar também. Ele deseja ser íntimo da pessoa em quem confia acima de qualquer outra, e essa pessoa é você. Se ele se sentir satisfeito no relacionamento que tem com você, então não procurará outros relacionamentos.

O sexo é um ingrediente importante para determinar quanto um homem se sente satisfeito na vida. Mas não é o único ingrediente. Seu homem também precisa saber que, no seu mundo, ele é a prioridade número 1. Que ninguém mais — incluindo mãe, pai, amigas ou filhos — chega sequer aos pés da importância que ele tem no seu coração e na sua vida. Ele precisa ouvi-la dizer a uma amiga ao telefone: "Oh, Anne, preciso ir. Jim acabou de chegar". Necessita ouvir não apenas: "Bem-vindo ao lar!", mas sentir seus braços ao redor dele e um beijo terno... ainda que seja breve, porque a panela de macarrão com queijo está no fogo.

Quando reserva tempo apenas para ele (você, e não as partes desgrenhadas que sobraram no final do dia), o homem sente-se valorizado por você no aspecto emocional *e* no físico também.

A necessidade número 3 de um homem é ser satisfeito... especialmente por você.

Direto ao coração

Qual é a primeira coisa que você vê quando olha para seu homem? Você vê o tipo de sapatos ou o terno que está usando? Você critica se ele usou o cinto correto como acessório de sua roupa formal ou esportiva?

Ou você vê o coração do seu homem? O que ele tenta fazer por você e sua família, mesmo quando às vezes erra? A expressão em sua face quando passa pela porta — está ansioso para contar as novidades, desanimado por algo que aconteceu, cansado?

Para você, é fácil colocar seu marido em primeiro lugar? Ou é uma luta, por causa do estresse do seu relacionamento, de uma carga de trabalho muito pesada ou de muitos compromissos?

Não é preciso ser cientista espacial para entender seu homem. Suas três necessidades são básicas: ser respeitado, sentir-se necessário e ser satisfeito. Se você entender essas três necessidades e procurar satisfazê-las, terá um homem que vai protegê-la com a tenacidade de um *pit bull*, mas que também será alguém com a ternura de um urso de pelúcia para com você e seus filhos (ou qualquer outra criança que possa surgir no caminho de vocês).

Sabe, nós, homens, somos simples. Se nossas três necessidades básicas forem atendidas, seremos melhores maridos, melhores pais e melhores amantes. Ficaremos felizes ao seu lado por toda a vida. Com um pequeno esforço de sua parte, é o melhor negócio do pedaço!

* * *

"CONVERSA DE HOMEM"

As três principais necessidades de um homem

1. Ser respeitado
2. Ser necessário
3. Ser satisfeito

ACABEI DE REVELAR as três necessidades básicas de um homem.

Essas necessidades afetarão tudo o que se relaciona a um homem — como ele se sente em relação a si mesmo, sua carreira, sua vida em casa, você, seu relacionamento e seu futuro juntos.

Entretanto, pergunte a qualquer homem: "O que você gostaria que a mulher a quem ama soubesse a seu respeito? O que você lhe diria, se pudesse?", e ele vai se fechar.

Por quê? Porque é comum que as coisas mais importantes para um homem também sejam aquelas que ele tem medo de verbalizar. Ele é precavido — e muitas vezes tem razão em sê-lo — quanto a como essas declarações se refletirão sobre ele mesmo ou como afetarão as atitudes e as reações da mulher a quem ama.

Contudo, lá no fundo de todo homem existem sete segredos que ele nunca vai lhe contar... mas que você precisa saber. E cada um desses sete segredos está inseparavelmente entremeado com as três necessidades básicas de um homem.

Portanto, em favor de todos os homens, serei ousado...

SEGREDO NÚMERO 1

Por que os homens preferem os resumos e as mulheres querem o romance completo

ERA UM DAQUELES eventos sociais que odeio. Aqueles em que você precisa se arrumar, ter a melhor aparência e tentar agir socialmente mesmo quando esse não é o seu jeito e quando se sente estrangulado porque o nó da gravata está muito apertado.

Mas, porque amo minha esposa, concordei em acompanhá-la... embora não a tenha visto na maior parte da noite depois de chegarmos lá.

Andei pelo lugar por alguns minutos, cumprimentando as pessoas com a cabeça e um sorriso, e finalmente cheguei à poncheira. De alguma maneira, ela o ajuda a segurar alguma coisa quando não se sente muito confortável.

Depois de encher meu copo da maneira mais lenta possível, dei um passo para trás a fiim de analisar a sala e tomar o menor dos goles.

Foi então que outro homem aproximou-se da poncheira. Dei-lhe o "cumprimento de cabeça".

Esse cumprimento é a linguagem universal masculina, e é muito fácil de fazer. Quando vê outro homem, você levanta a cabeça em um centímetro. Ele levanta a cabeça dele um centímetro. Vocês acabaram de entabular uma conversa completa e ambos estão satisfeitos. Sem dizer nada, vocês disseram: "Oi, como vai? Bela festa, não?".

Mas aquele camarada junto à poncheira parecia tão perdido quanto eu.

De repente, um raio de vulnerabilidade caiu sobre mim. Estendi a mão.

— Meu nome é Kevin.

Ele a apertou e disse:

— Rick.

— Bela festa, não é? — acrescentei.

Então, ali mesmo, fiquei sem palavras. Afinal de contas, aquele cara era um estranho. Não precisava seguir adiante.

Ficamos os dois parados diante da poncheira.

Então, tentei de novo.

— Então... em que você trabalha?

Esse outro diálogo durou trinta segundos.

Ficamos sem palavras de novo. O que você diz quando não houve nenhum jogo nos últimos dias sobre o qual conversar?

Então, Sande apareceu. Uma visão encantadora diante de meus olhos e, melhor ainda, minha salvadora social.

— Rick, esta é Sande, minha esposa — disse eu, segurando o braço de minha esposa.

A falta de jeito acabou repentinamente. Sande ficou por ali e preencheu os espaços por alguns minutos, com sua personalidade tão viva, e depois me arrebatou para me apresentar a algumas outras pessoas.

Senti-me como um peixe que acabara de sair da água, pulando alucinadamente, com olhos arregalados, sobre o convés de um navio. Então, uma alma caridosa disse: "Ah, olhe só para ele", teve misericórdia de mim e jogou-me de volta à água, onde poderia respirar e sentir-me confortável de novo.

Digamos, agora, que você é mulher e encontra outra mulher, chamada Carol, pela primeira vez, ao lado da poncheira.

— Oi — diz ela. — Meu nome é Carol.

Você se apresenta e acrescenta:

— Que sapato bonito.

— Ah, comprei na Macy's — começa ela, e, então, vocês duas estão no maior papo. Ainda que você seja uma mulher mais calada por natureza, durante sua conversa de 45 minutos vocês falaram sobre sapatos, vestidos, onde gostam de fazer compras, sua receita favorita de ponche, os lugares onde passaram o último verão e o que gostaram de ver ali, a saudade que você sente de uma amiga que se mudou etc. Sabe de uma coisa? Embora uma de vocês seja vice-presidente de um banco local e a outra seja enfermeira, a atividade profissional de vocês não entra na conversa. Vocês não conversam sobre trabalho.

Mas as duas saem dali com números de telefone anotados em guardanapos, acenando uma para a outra e dizendo "olha, vou ligar". E o que é mais surpreendente para nós, homens, é que normalmente vocês ligam!

Ouvir é diferente de responder

Nós, homens, somos idiotas em termos relacionais? Às vezes sim. Mas considere que, pelo fato de as mulheres usarem em média três, cinco vezes mais palavras que os homens (como afirmei na introdução deste livro), quando chegamos em casa de volta do trabalho, nosso estoque de palavras chegou a *zero*. Isso significa que qualquer atividade noturna (como eventos sociais) surge para nós quando nos sentimos *menos* relacionais. Isso é sério, pois, uma vez que precisamos trocar palavras o dia inteiro para que o trabalho fosse realizado, um relacionamento com o controle remoto parece algo extremamente bom. Ele não nos faz perguntas nem fica bravo conosco se não terminarmos uma tarefa ou não respondermos a uma pergunta de determinada maneira.

É por isso que, quando você conversa conosco sobre qualquer coisa, não é que não queiramos ouvir. Normalmente é que não estamos preparados para responder naquele exato momento. Na maior parte das vezes, porém, embora estejamos naquela cadeira de descanso, mudando de canal com o controle remoto, ainda estamos ouvindo você. Só precisamos de um tempo para processar.

Lembre-se de que estamos acostumados a vê-la criando círculos relacionais à nossa volta. Às vezes leva tempo para alcançarmos você! Mas é comum ouvirmos no meio do processo aquele "grande suspiro" e, depois, um irritado "você está me escutando?". Francamente, o tempo para "desintoxicar" do trabalho e pensar no próximo passo do projeto para amanhã é de cerca de vinte minutos, e agora estamos começando a captar o fato de que, no final de sua longa explanação, existe uma questão muito importante. E que é algo que nós certamente deveríamos saber... talvez até mesmo para fazer alguma coisa a respeito.

Pelo fato de as mulheres em geral terem necessidade de conversar, de se comunicar, de processar, às vezes um homem ficará indiferente quando o fluxo de palavras for grande demais. Você sabe do que estou falando — e exatamente quando isso acontece com seu homem! Os olhos dele começam a ficar vidrados, ele se concentra ainda mais no jornal ou na televisão e começa a dizer "hã-hã" a tudo o que você diz. O que normalmente acontece? Você fica desesperada para ser entendida e, assim, fala mais, o que faz o abismo entre vocês ficar ainda maior.

Enquanto isso, seu homem está pensando: "Você poderia simplesmente ficar de boca fechada e deixar que o ar da sala se renove?".

Não é surpresa que esse tipo de cena aconteça quando se considera as diferenças entre o que homens e mulheres desejam.

As três principais necessidades de uma mulher

Quando pergunto às mulheres o que elas mais querem, recebo respostas como estas:

"Quero ser amada. Quero não apenas *saber* que sou amada, mas que ele me diga e demonstre isso."

"Quero conversar e saber que ele está me ouvindo. Às vezes não quero uma resposta; quero apenas processar."

"Quero que ele se importe comigo e com as crianças. Quero que sejamos sua mais elevada prioridade."

"Quero ser sua alma gêmea."

"Quero que ele fale como foi seu dia e que escute como foi o meu... e ache isso importante!"

"Quero saber que ele pensa em mim durante o dia."

Estive há pouco num seminário sobre vida conjugal e, quando perguntei aos homens o que as mulheres mais queriam, um deles gritou: "Cartão de crédito!".

Quando sua esposa lhe deu uma cotovelada, houve um riso generalizado dos outros homens na plateia.

No frigir dos ovos, as três necessidades básicas de uma mulher são, nesta ordem:

1. Afeição
2. Comunicação honesta e aberta
3. Compromisso com a família

Afeição

Mais do que qualquer outra coisa, uma mulher precisa de afeição. Para o homem, afeição significa sexo. Para a mulher, significa abraços, beijos, segurar as mãos, afagos nas costas, uma flor ou um bilhete sem razão especial. Significa que seu homem está lhe dando algo sem querer retribuição. Ela precisa de afeição como *afeição*, não como preliminar.

Duvido que haja uma mulher na face da terra que diga: "Adoro quando meu marido me agarra!". Uma mulher gosta de ser afagada, acariciada, abraçada. Existe uma pergunta inaudível que ela faz a seu homem todos os dias: "Você realmente me ama?". Se o marido só lhe mostra afeição durante o sexo, não demora muito até que a mulher deixe de sentir-se amada. "Afinal de contas", pensa ela, "ele só é bondoso comigo quando quer sexo". Ela se sentirá usada — como se fosse sua propriedade ou objeto, em vez de a mulher dos sonhos de seu homem... a mulher que ele ama e valoriza mais do que qualquer outra na terra.

Como uma mulher se sente valorizada? Quando fiz essa pergunta a algumas mulheres, elas disseram:

"Quando ele diz que sou uma boa mãe."

"Quando ele leva o lixo para fora sem que eu peça."

"Quando ele limpa a bagunça que fiz na cozinha."

"Quando me diz que sou bonita para ele, mesmo nos dias em que me sinto gorda e feia."

Uma mulher precisa saber que é amada por quem ela é, não simplesmente por aquilo que ela faz. Ela precisa saber que seu homem pensa nela com afeição e amor quando está em casa e quando está longe de casa. Como disse uma mulher: "Porque sei que ele me ama, posso enfrentar até mesmo o dia mais difícil e ficar bem. O amor dele dá propósito à minha vida".

Comunicação honesta e aberta

Você sabia que estudos científicos comprovam a razão de uma mulher tender a ser mais "relacional" que sua contraparte masculina? Uma mulher tem mais ligações entre os lados verbal e emocional do cérebro do que um homem. Isso significa que os sentimentos de uma mulher e seus pensamentos correm juntos rapidamente, como se estivessem numa via expressa, mas os do homem são mais lerdos, como se estivessem caminhando e arrastando os pés numa estrada de terra. Depois de um tempo, os pensamentos dele vão alcançar os da mulher, mas isso pode acontecer quilômetros à frente na estrada.

É nessa distância que as mulheres tendem a ficar desesperadas. Afinal de contas, vocês são tão boas em expressar seus sentimentos e em pular de um assunto para outro; quem poderia culpá-las por virar os olhos quando tudo o que recebem de seu homem é "o grunhido"? Para deixar as coisas ainda mais desesperadoras, ele pode ligar para um colega, um minuto depois de ter-lhe dado o grunhido em resposta às suas perguntas, e entrar numa discussão de dez minutos sobre o tamanho do peixe que pescaram no verão passado, qual programa de computador acabou de ser lançado ou que as ações de uma empresa de tecnologia simplesmente dispararam.

Em seu livro *You Just Don't Understand* [Você simplesmente não entende], Deborah Tannen, especialista em comunicação entre homens e mulheres, chama a comunicação entre homens e mulheres de "comunicação transcultural". Ela explica:

> Se as mulheres falam uma linguagem de conexão e intimidade, enquanto os homens falam e ouvem uma linguagem de *status* e independência, então a comunicação entre homens e mulheres pode ser considerada uma comunicação transcultural, sujeita a um choque de estilos conversacionais. Em vez de dialetos diferentes, diz-se que eles falam linguagens ligadas ao gênero.[1]

Tannen vai em frente e diz que, quando marido e esposa estão sentados à mesa do café e o homem está lendo o jornal, existe uma grande diferença quanto àquilo que homem e mulher pensam sobre o propósito de uma conversa:

> Para ele, a conversa serve para obter informações. Assim, quando a esposa interrompe sua leitura, deve ser para informá-lo

> sobre algo que ele precisa saber. Sendo esse o caso, ela poderia muito bem dizer-lhe o que acha que ele precisa saber antes de começar a leitura. Para ela, porém, a conversa serve para interação. Dizer coisas é uma maneira de mostrar envolvimento, e ouvir é uma maneira de demonstrar interesse e atenção. Não é uma coincidência estranha que ela sempre se lembre das coisas que precisa lhe dizer no momento exato em que ele está lendo. Ela sente a necessidade de interação verbal mais intensamente quando ele está com a cabeça enfiada no jornal (inexplicavelmente, do ponto de vista dela). em vez de conversando com ela.[2]

De que maneira os gêneros diferentes reagem a essa situação?

> Para aquele homem [...] uma mulher que contesta sua leitura matinal do jornal está tentando impedi-lo de fazer algo essencial e inocente. É uma violação de sua independência, de sua liberdade de ação. Mas, quando uma mulher que espera que seu parceiro converse com ela é desapontada pelo fato de ele não fazê-lo, ela entende seu comportamento como falta de intimidade: ele está escondendo coisas dela; ele perdeu o interesse nela; ele está se afastando.[3]

Os homens conseguem conversar? Pode apostar que sim. Mas o momento de pegá-los normalmente não é na hora em que voltam do trabalho, quando estão diante da televisão ou quando estão lendo uma revista ou um jornal. Todas essas atividades estão dizendo: “Preciso do meu espaço”.

Se você quer conversar com seu homem, escolha o momento com sabedoria. Não escolha o domingo à tarde, durante o segundo tempo do jogo de seu time, para tentar iniciar uma conversa. Uma das melhores maneiras é assistir a alguma coisa que ele esteja fazendo — como montando algo no quintal — e dizer: “Puxa, isso parece interessante. Diga-me o que você está fazendo". Agora você conseguiu a atenção dele. Mostrou interesse por um de seus projetos, e ele ficará mais do que feliz por conversar com você.

Se há alguma coisa que você precisa ou quer lhe dizer, uma excelente maneira de conseguir sua atenção é simplesmente tocá-lo. Para seu homem, seu toque é poderoso e pode abrir as vias de comunicação entre vocês. Enquanto o estiver tocando, diga: "Querido, tenho uma pergunta muito importante para lhe fazer. Vejo que você está concentrado e talvez esta não seja a melhor hora. Se for esse o caso, diga e esperarei até o momento certo".

Ao tocá-lo, você conseguiu sua atenção. Ao abordá-lo com respeito, você assegurou-se de sua atenção. Ao dar-lhe a opção de falar ou não, você praticamente garantiu uma audiência cativa!

Compromisso com a família

Os filhos às vezes são uns pestinhas e de fato podem ser um obstáculo à intimidade conjugal. Mas o tempo que seu marido passa com os filhos e a maneira de tratá-los tem muito que ver com a satisfação conjugal de uma mulher. De maneira geral, uma mulher se sente confortada e amada por seu marido quando ele deixa de fazer suas coisas para passar um tempo de valor com as crianças. Por quê? Porque aquelas crianças, o que acontece na vida delas e a psique dos filhos são uma extensão do eu da mulher.

Contudo, o que ocorre com frequência é que o homem está ocupado demais cumprindo seu papel de provedores (falaremos mais adiante sobre a razão de isso ser tão importante para um homem) que fica em casa menos tempo do que você gostaria. Ele pode até mesmo chegar em casa depois de as crianças já terem ido para a cama... tudo porque está muito comprometido com o impulso dado por Deus para prover à sua família financeiramente.

Infelizmente, muitos homens não são uma parte significativa da vida familiar. Podem sentir coisas como "essa não é minha função" ou não ter consciência da razão de estarem tão obcecados pelo sucesso. Talvez até pensem inconscientemente: "Ela faz um trabalho tão maravilhoso com as crianças que nem precisa de mim". Nos bastidores, podem sentir-se como o menino pequeno que não tem um lugar aonde ir, de modo que passa o tempo todo arrastando o sapato no chão na esperança de encontrar alguns trocados a mais para trazer para casa.

Importuná-lo, porém, não levará a lugar nenhum. "Se você *se importasse* com sua família, então teria ido ao jogo do Jack!"

Em vez disso, por que não tentar esta abordagem: Amor, será muito importante para o Jack se você der um pulinho no jogo dele.

Que homem não tentaria sair mais cedo do trabalho para assistir ao próximo jogo depois de ouvir tais palavras?

Para aquelas que não têm filhos nos quais pensar, pense em como você se sente quando seu marido passa na casa da sogra e a ajuda com algo que ela não pode fazer sozinha... sem que você o perturbe para realizar a tarefa. Isso não lhe provoca sentimentos cálidos e entusiasmados por seu homem?

Quando seu homem deixar suas próprias coisas em favor da família, converse com ele sobre isso. Diga-lhe quanto você aprecia o que ele fez. Lembre-se de que nós, homens, no fundo somos realmente meninos pequenos. Queremos agradar você.

Quando suas três necessidades básicas colidem com as dele

Dê uma olhada rápida nas necessidades de um homem e de uma mulher, lado a lado.

As três principais necessidades de um homem	As três principais necessidades de uma mulher
1. Ser respeitado	1. Afeição
2. Ser necessário	2. Comunicação honesta e aberta
3. Ser satisfeito	3. Compromisso com a família

Alguma surpresa com o fato de que as necessidades básicas de uma mulher podem entrar em profundo conflito com as necessidades básicas de um homem de ser respeitado, necessário e satisfeito? A mulher quer ser afagada; o homem clama por sexo. A mulher quer conversar; o homem fica sem palavras. A mulher quer que a família faça tudo junto; o homem quer alguma independência.

Coisas que você nunca ouvirá de um homem

- "Querida, hoje podemos só nos abraçar e conversar?"
- "Se eu tirar uma folga na sexta-feira, podemos ir fazer compras e passear no fim de semana?"
- "Há como deixarmos sua mãe aqui por mais uma semana? Ela está aqui há apenas um mês."
- "Claro, vou com você assistir ao balé. Gosto de ver aqueles homens usando colant."

Uma das coisas mais difíceis para uma mulher é perceber que conversar não é a chave que abre o coração de seu marido, como acontece com o seu. Você gosta de palavras, frases, ideias completas e parágrafos. Você tem pleno controle sobre suas palavras, sentimentos e pensamentos. Você é como aquele coelho da Duracell que vai, vai, vai, vai... É comum que seu marido se sinta como o coelho que usa as pilhas erradas, que fica caído de lado, mudo.

Aqui está a surpresa: creio de todo o coração que seu sucesso ou fracasso no casamento depende do quanto você é bom em conhecer as necessidades de seu cônjuge e em satisfazê-las.

E você, como mulher, pode colocar em ação todo tipo de coisas com as palavras que usa com seu marido. Suas palavras podem trazer-lhe alegria e confiança, mesmo quando ele se sentir um fracasso em alguma área, ou podem fazer que ele se tranque. Então, ele será como a tartaruga que se esconde em seu casco. Colocará braços e pernas para dentro. Você pode pegar o maior guindaste do mundo e içá-lo para que se mova, mas ele se recusará a fazê-lo. Vai ignorá-la completamente. Na verdade, ele não vai sair daquele casco até que você vá embora!

Por que "por quê?" é um assassino de conversas

Toda mulher adora fazer perguntas. Você foi planejada para perguntar.

Mas adivinhe só? A melhor maneira de entrar na mente e no coração de um homem *não é* fazer perguntas. Se você perguntar "por quê?" a um homem, ele vai se fechar, pois o colocou na defensiva.

"O que você quer dizer com isso?", você pode perguntar. "Estava simplesmente perguntando delicadamente como fora seu dia, e ele estava começando a me dizer o que havia acontecido na hora do almoço. Como eu queria saber um pouco mais sobre a questão, perguntei: 'O John não costuma almoçar com você. Por que fez isso hoje?'. Então, Kevin franziu as sobrancelhas, fechou-se e não disse mais nada. Simplesmente não entendo!"

Qualquer homem que se abra para lhe dizer alguma coisa já está se colocando em risco de ser ridicularizado em razão de algum movimento estúpido que tenha feito ou por sentir-se como se sente. Já é suficientemente difícil para um homem abrir a boca para dar explicações. Uma vez que você é naturalmente ótima em reunir informações e quer saber cada detalhe, você pergunta por quê. Mas perguntar por que leva seu marido a pensar: "Ah, então você acha que sou um idiota por causa de minha maneira de lidar com a situação? Acha que sou estúpido?".

Perguntar por que é um gerador imediato de desânimo para um homem. Em vez disso, a melhor coisa que você pode fazer é diminuir o ímpeto desse instinto que diz: "preciso saber". Simplesmente escute, concorde sinalizando com a cabeça, mostre interesse e toque o braço dele numa atitude de empatia ou simpatia enquanto ele lhe conta o que aconteceu. Se ele estiver irritado e usar palavras que você nunca ouviu da boca dele, não o julgue. Não diga: "Não acredito que você tenha dito isso!". Não julgue suas emoções. Em vez disso, escute quietamente enquanto seu marido luta para colocar em palavras os pensamentos e sentimentos em relação ao que aconteceu. Não diga imediatamente: "Bem, eu teria feito o seguinte...". Se ouvir tudo o que ele tem a dizer, talvez você se surpreenda por ouvir de seus lábios uma profundidade de sentimentos que jamais imaginou que pudesse haver ali: "Sinto-me um fracasso. Não sei se consigo fazer as coisas direito. Não sei o que me deu para falar aquilo para o John. Estou com medo de perder o emprego por conta disso".

Você sempre quer ouvir respostas quando está chateada? Quer que lhe digam o que fazer? Ou às vezes quer apenas ser ouvida? Processar o que aconteceu por meio de uma conversa com alguém que possa ouvir com compaixão? Então, dê ao seu homem o mesmo benefício de seu ouvido atento, mas sem o julgamento.

Casais que ouvem sem julgar são aqueles que, passo a passo, conseguem modificar o nível de sua comunicação, saindo dos típicos clichês para compartilhar aquilo que é mais importante. Esses são os casais que sentirão a derradeira satisfação conjugal e se tornarão a alma gêmea um do outro. São os casais que ficarão juntos na longa jornada.

São casais como Leon e sua esposa. Conheci Leon pelo radio, quando estava em Medford, Oregon, para dar um seminário sobre compreensão no casamento. Meu caro amigo Perry Atkinson, proprietário e gerente-geral da estação de rádio KDOV naquela localidade, pediu-me para telefonar para sua estação de rádio às sete e meia e fazer uma promoção do seminário.

Estava ouvindo a KDOV tentando imaginar a melhor hora de fazer a chamada, enquanto Perry entrevistava um homem chamado Leon, falando sobre o clima. Quando estava prestes a discar o número da estação, Perry disse a Leon:

— Kevin Leman falará hoje à noite aqui na cidade sobre casamento. Leon, você está casado há 59 anos. Qual é a coisa mais importante que você sugeriria aos casais?

— Respeito mútuo — disse Leon.

Perry perguntou alguma outra coisa, mas ficou claro para mim que Leon não entendeu tudo o que fora dito.

— Ah, mais uma coisa — Leon respondeu. — Use apenas um aparelho auditivo.

"Um aparelho auditivo?", pensei. "Que história é essa?" Então liguei para a rádio e disse:

— Ei, quero falar com o Leon... Espere um pouco! Você falou que está casado há 59 anos consecutivos?

— Com certeza! — disse Leon, rindo.

— Você disse "apenas um aparelho auditivo". O que quis dizer com isso em relação ao casamento? — perguntei.

— Uso apenas um aparelho auditivo porque não quero ouvir tudo — Leon respondeu, com simplicidade.

Respeito mútuo e não ouvir tudo — conselho sábio para a longevidade de um casamento. Especialmente com uma mulher falante e um marido que não tem mais palavras na quinta-feira.

Leon e sua esposa estão casados há 59 anos e ainda mantêm-se fortes. Você e seu marido podem ser um desses casais. E você também pode adorar seu casamento durante a jornada!

* * *

"CONVERSA DE HOMEM"

Fale a língua dele

No caso de sentir-se compelida a dizer algo a seu homem, tente isto:

1. Diga-lhe que grande marido ele é.
2. Diga-lhe que grande pai ele é.
3. Diga-lhe que excelente trabalho ele faz como provedor da família.
4. Diga-lhe que grande amante ele é.

No DIA DAS MÃES, sempre tento fazer as coisas direito. Num ano, realmente consegui fazer tudo direito. Fiz reservas no melhor hotel da cidade. A conta que recebi asfixiaria um cavalo, mas valeu a pena. E, como Sande disse, ela adorou tudo porque não havia gelatina à vista.

Como parte do tributo que prestava à minha esposa, decidi de improviso dizer aos nossos filhos:

— Este é um momento muito bom para vocês dizerem à mamãe o que mais gostam nela.

— A comida! — disse imediatamente a filha menor.

Isso mesmo. Ela não disse nada mais. Apenas comida.

"Bem, isso não está indo muito bem", pensei. "Isso foi demais. Esperava que as crianças dissessem coisas doces numa ocasião como essa."

Mais tarde, porém, quando pensei na resposta de Krissy, percebi que fora honesta, bem como um grande elogio. Afinal de contas, Krissy era, na época, uma menina atleta de quinze anos de idade que estava crescendo rapidamente e que chegava em casa esfomeada depois da aula e dos treinos. Sande não é apenas uma boa cozinheira, mas uma excelente cozinheira. Assim, Krissy estava simplesmente mostrando sua apreciação por uma das habilidades de sua mãe que significava muito para ela naquele momento.

Direto do coração

É exatamente isso que seu homem precisa ouvir de você: sua apreciação. Mas, para que ele possa ouvi-la, você precisa falar a língua dele.

Deixe que ele se desintoxique

Por que não lhe dar alguns minutos para "desintoxicar-se" — mesmo que seja meia hora — assim que ele chegar do trabalho? Depois disso, ele terá prazer em ouvir sobre seu dia e quaisquer outras preocupações. Quando chega em casa, o que ele realmente quer fazer é ir ao banheiro. Ele precisa de um tempo sozinho... para descomprimir. É comum que o melhor lugar para fazer isso seja o banheiro, onde existe menor possibilidade de ser interrompido.

Os pais, principalmente, precisam descomprimir antes de chegar em casa. É por isso que sugiro aos homens que, nos dias estressantes, escolham com cuidado a estação de rádio ou o CD que vão ouvir. Precisam ouvir um pouco de música suave para baixar o ritmo.

Um casal que conhecemos já mudou de estratégia duas vezes em seu casamento de quinze anos. Quando não tinham filhos e os dois trabalhavam fora, eles concordaram em ter a "meia hora silenciosa" depois que cada um chegasse em casa, antes de começarem a conversar e preparar o jantar juntos. Mas, quando os filhos nasceram, concordaram que, quando ele tivesse tido um dia particularmente estressante, chegaria meia hora mais tarde em casa depois de sair do trabalho. Nessa hora, ele iria a um parque nas proximidades para caminhar e tirar da cabeça quaisquer questões relacionadas ao trabalho para que pudesse se "concentrar em casa" quando chegasse.

Seus filhos têm hoje três e cinco anos. É importante que as crianças que gritam "papai!" e se penduram nele assim que o veem tenham de fato a atenção imediata e o tempo do papai.

Apenas os fatos, por favor, senhora

Perceba que ele foi planejado para querer "apenas os fatos, senhora". Ele não precisa de todas as nuanças, os detalhes e as emoções, ou quem disse o que e quando, e uma repetição de toda aquela conversa que chateou você. Ele precisa dos fatos:

- Você está chateada.
- Você conversou hoje com fulano.
- O assunto principal.
- O que você quer que ele faça a respeito (se é que quer).

Se você está desesperada para falar sobre cada detalhe, converse com uma amiga! Mas não converse com a amiga primeiro se o assunto tiver alguma relação com seu homem, se você estiver chateada com seu homem ou se tiver acontecido alguma coisa na família que ele devesse saber primeiro.

Explique o que você quer dizer; fale com seriedade

Nós, homens, somos bastante simples. Quando conversamos, explicamos o que queremos dizer. Talvez essa seja uma das razões pelas quais fiquemos tão perplexos diante das palavras de uma mulher.

Considere esta conversa recente em nossa casa. Tenha em mente que eu e Sande estamos casados há 38 anos.

Eu, minha esposa e alguns de nossos filhos estávamos sentados à mesa de jantar. Comíamos carne de porco com molho de maçã, uma de minhas comidas favoritas. Estava sentindo o cheiro daquilo havia uma hora e, devo dizer que, para mim, poucos aromas são mais deliciosos.

Logo depois de orar, disse a Sande:

— Querida, você poderia me passar o molho de maçã?

Ela fez uma pausa e, então, disse:

— Ah, você não quer esse molho.

Franzi a testa.

— Por que não?

— Bem — disse ela — porque ele tem muito açúcar.

"Hum", pensei comigo. "Se eu não quero, por que pedi? E se ele não está bom, por que está sobre a mesa? É um molho caseiro. Não se trata daqueles molhos prontos que se compra no mercado."

Afinal de contas, somos o tipo de casa na qual todos os biscoitos são feitos aqui. (Os biscoitos comprados em lojas são de Satanás, na humilde opinião de minha esposa.)

O que minha esposa estava tentando dizer por trás disso tudo? Só consegui imaginar duas opções:

1. Estaria ela tentando me dizer que estou muito gordo e que não preciso de todo aquele molho de maçã?
2. Uma vez que é uma cozinheira extremamente perfeccionista, será que ela adicionou açúcar demais e sente-se mal por

ele não ter o "gosto certo"? Mas isso seria como se Sande colocasse um esforço em vão sobre a mesa.

Entendem o que quero dizer, senhoras? Nós, homens, costumamos nos ver coçando a cabeça, tentando descobrir o que suas palavras de fato querem dizer.

Existe uma tradição na casa dos Leman. Ela começou quando meus filhos reclamaram que era difícil comprar presentes para mim por causa de meus gostos peculiares. Certo ano, cansado de ouvir as reclamações, decidi que, na época do feriado de Ação de Graças (final de novembro), eu mesmo compraria meus presentes de Natal: blusas, loção após a barba, uma camisa, um cinto, perfume e qualquer outra coisa que encontrasse e que pudesse representar uma grande variedade de presentes e preços. No Dia de Ação de Graças, quando a família se reunia, eles podiam tirar no palitinho (as crianças, é claro) para descobrir quem seria o primeiro a ir à "loja do Papai" assim que ela estivesse oficialmente aberta. Chamo de "loja do Papai" o conjunto de itens espalhados cuidadosamente sobre sofás, cadeiras etc. de nossa sala de estar. A única regra era que só se podia comprar um presente por vez. Era uma questão de fazer justiça a todos.

A loja do Papai fez tanto sucesso que a abrimos todos os anos desde então. As crianças ficaram muito aliviadas por não ter de comprar coisas para mim. Mas, neste último feriado de Ação de Graças, fiquei com um embrulho no colo (literalmente), um presente que ninguém comprou. Era um suéter de caxemira vermelha com gola em V. Estava tão orgulhoso daquela compra, pois foi uma verdadeira pechincha, de modo que achei que alguém fosse escolher aquele presente da loja do Papai. Mas ninguém da família se interessou em comprar aquele suéter. Assim, ficou ali, pendurado na sala de estar.

Pouco antes do Natal, os grupos de estudo bíblico de mulheres da região fizeram sua última reunião do ano. Sempre acontece um almoço. Nesse ano, elas pediram que eu fosse o orador. Assim, disse à minha esposa:

— Hum, querida, venha aqui um instante.

Por "aqui" quis dizer nossa sala de estar, onde o suéter vermelho ainda estava estirado sobre o sofá.

— Está vendo esse suéter? Você acha que deveria usá-lo no evento das mulheres?

Sande arrastou os pés no chão e, sem me olhar diretamente nos olhos, disse:

— Bem, você precisa de um suéter de Natal.

Hoje eu *sei* que não há um único homem no Universo que *precise* de um suéter de Natal. A maioria de nós tem uma porção dessas ofertas enfiadas no fundo do guarda-roupa ou debaixo da cama porque temos muito medo de devolvê-las e ofender alguém.

Assim, perguntei:

— Você gosta desse suéter?

Ainda sem me olhar nos olhos, ela disse:

— Vá em frente e use.

Nesse ponto, eu já havia feito duas perguntas. Ela me disse que eu precisava de um suéter de Natal e que poderia usá-lo naquele evento, conquanto nenhuma das duas respostas fosse a que eu queria ouvir. Desejava saber apenas uma coisa: ela gostava dele ou não?

Se ela tivesse dito "não gosto", devolveria à loja e ficaria setenta paus mais rico. Nada de mais. Só queria saber.

Mas Sande me deu aquilo que chamo de típica resposta de mulher. Ela não queria dizer claramente: "Leemie, eu *não* gosto desse suéter".

Essa é a mesma noiva adorável que, num dia difícil, costuma ler comigo as cartas mal-educadas que recebo de pessoas que não gostaram daquilo que eu disse desde que falei olá até quando disse adeus num programa de televisão. Então ela olha para mim e diz na cara: "Ei, Leemie, é fácil amar as pessoas que o acham maravilhoso. O difícil é amar aquelas que acham que você é um idiota". Isso é que é falar na cara! Nem sempre gosto de ouvir coisas assim — parte de mim quer se afundar na raiva por alguns instantes. Mas Sande está sempre certa em dizer o que lhe passa pela mente.

Diante disso, o que fiz com o suéter? Devolvi. Sou um cara simples, e não consigo me imaginar usando uma peça de roupa apenas uma vez. Não queria nem precisava de um suéter como aquele. Queria algo que pudesse usar o tempo todo. E queria algo que minha amada noiva gostasse de ver em mim. Então por que ela simplesmente não veio e disse que odiava aquele suéter?

Quando nós, homens, fazemos uma pergunta direta como essa — especialmente em relação a roupas! —, esperamos uma resposta direta. Portanto, façam-nos um favor e poupem-se de frustrações. Simplesmente expliquem o que vocês querem dizer!

Só não façam isso durante a final do campeonato.

Você diz: "Quer parar para tomar um sorvete?".

> Você quer dizer: Estou louca para tomar um *sundae* triplo com cobertura de chocolate quente, *chantily* e uma cereja enorme em cima, mas não quero que você pense que sou gulosa. Ainda que eu tenha engordado um pouco nos últimos tempos.

> Ele diz: "Não, obrigado."
> Ele quer dizer: Realmente não estou com vontade de tomar sorvete agora.

Você pensa: "Que bobão! Preciso tomar aquele sorvete... agora. Se ele não mudar de ideia e parar o carro nos próximos dois segundos...

Você diz: "Ah, não é uma gracinha?"

Você quer dizer: Ei, estou pensando onde poderia colocar isso lá em casa. Quem sabe no quarto? Não, aquele canto já está muito cheio. Mas ali na entrada, ei, pode dar certo!
Ele diz: Hã-hã.

Ele pensa: "Ah, beleza, ela quer comprar isso. Já não temos coisas demais pela casa?"

Você pensa: Oh, não, ele odiou isso. Justo quando encontrei um lugar ótimo para colocá-lo. Bem, só preciso pensar em alguma outra coisa para colocar naquele lugar. Vai ficar parecendo tão vazio.

Atire de uma vez!

Ele não apenas quer que você explique o que quer dizer quando responde a uma pergunta dele, mas que você seja direta, que atire de uma vez. Nada de emoção, nada de fazê-lo perceber as nuanças.

Veja outro exemplo da família Leman.

Sande sempre está com boa aparência. Sempre está perfeitamente bem vestida para determinada ocasião. Quando viajamos, ela insiste em dizer que está levando pouca coisa. Mas ela leva uma mala inteira apenas para sapatos porque cada vestido precisa combinar com um sapato.

Então, é minha vez — o típico ser do sexo masculino. Tenho uma regra simples: os calções de dentro são trocados; os calções de fora podem ser usados durante cinco a sete dias. Quando decidimos sair para jantar com nossos filhos, estou pronto em dois segundos, porque não preciso mudar nada.

Sande leva um pouco mais de tempo. Quando ela nota o que estou usando, me dá uma olhada de cima a baixo. Você conhece esse olhar. Ela olha... mais especificamente para minhas bermudas.

Já a conheço há tempo suficiente para saber o que se passa em sua cabeça. Posso imaginá-la analisando as palavras: "Será que realmente quero dizer alguma coisa sobre essas bermudas? Vale a pena? Vejamos... a qual tipo de restaurante iremos? Se for chique, vou ter de dizer alguma coisa. Mas talvez aquele restaurante caseiro já esteja bom".

Finalmente, ela chega a uma decisão: "Querido, há quantos dias você está usando essa bermuda?". E eu capto a mensagem. Lá vou eu para o quarto para trocar de roupa, de modo que possa estar socialmente adequado (embora lhe possa garantir que haverá outros homens naquele restaurante que estarão usando o mesmo calção de fora há cinco ou sete dias).

Às vezes, porém, é uma das crianças que pega no meu pé. (Imagine com quem aprenderam?) "Pai, você vai realmente sair com isso?" (em que "sair" significa "passar da porta da frente").

Então, lá vou eu para dentro de casa mais uma vez. Tenho o maior prazer em deixar minha família feliz.

Houve uma vez, no entanto, em que realmente extrapolei. Apareci na escola da minha filha usando os chinelos que uso no quarto de dormir, um calção, uma camiseta e um boné de beisebol. Devia saber, pelo olhar de horror estampado na face de minha filha de treze anos, que fizera algo terrivelmente errado, mas, ora, sou homem. Às vezes não faço a menor ideia do que está acontecendo. Mas ela me disse com todas as letras? Não.

Quando cheguei em casa, Sande foi curta e grossa: "Você nunca mais me apareça na escola assim. É importante para sua filha".

Captei a mensagem. Não precisei prestar atenção em nenhuma nuança porque o tiro foi direto. Ela falou rapidamente. Não reuniu os fatos, não os examinou vinte vezes nem me fez sentir como se fosse um estúpido.

Sabia que o caso estava encerrado. Mas nunca mais apareci na escola da minha filha daquele jeito.

Sabe, nós, homens, somos tontos como tijolos... mas também somos adestráveis. Queremos agradar vocês, porque no coração todos nós ainda somos meninos pequenos, e vocês são aquelas para quem olhamos, com admiração secreta, como o centro de nosso mundo.

A melhor maneira de dizer que ele pisou na bola

1. Fale com ele a sós, com as portas fechadas.
2. Toque nele enquanto estiver falando. Uma vez que seu homem dá um enorme valor ao toque — e gosta de ser tocado especialmente pelo amor de sua vida —, ele estará muito mais sujeito a dar-lhe atenção. Aquela parte dele que ainda é criança dirá: "Bom, ela está tocando meu braço e, portanto, ainda gosta de mim, ainda que não goste do que fiz".
3. Desarme as defesas dele olhando-o diretamente nos olhos e dizendo algo como: "Ei, querido, eu posso estar mortalmente errada/viajando sobre isso, mas quando...". Admitir logo de cara que você pode estar muito errada fará que seu homem relaxe, em vez de deixá-lo tenso ou com vontade de partir para a briga.
4. Então, faça o anúncio — aquilo que você *realmente* quer explicar em poucas palavras: "Parece-me que o que aconteceu hoje no almoço com sua irmã pode ter sido entendido de modo diferente daquilo que você realmente quis dizer...".

Explique o que a outra pessoa (ou você, se ele feriu os seus sentimentos) possa ter pensado. Lembre-se de que você é a pessoa relacional — que você tem a vantagem porque, como mulher, consegue ver o "todo" dos relacionamentos muito mais claramente que ele, por ser homem.

5. Sempre, sempre seja gentil ao dizer que ele pisou na bola. Contraste isso com a frase: "Ei, cara! Você pisou na bola! O que deu em você? Não acredito que você disse isso à sua irmã hoje no almoço. Fiquei tão envergonhada; as pessoas da mesa ao lado ouviram e reprovaram. Você...". Tal abordagem fará que seu homem se arraste para sua concha e lá permaneça.

O segredo é sempre pensar assim: "Se eu tivesse pisado na bola, como gostaria de ser abordada?". Então, ofereça a mesma consideração e respeito. A regra de ouro dos relacionamentos é: "Trate os outros como você gostaria de ser tratado".

SEGREDO NÚMERO 2

Por que os meninos nunca, jamais, em tempo algum realmente crescem... E por que você não iria querer que eles crescessem

"Por que vocês não crescem?"

"É, tratem de crescer!"

Nós, meninos da sétima série, estávamos numa rodinha bem fechada enquanto as meninas da sétima série, com as mãos nos quadris, nos provocavam com palavras. Evidentemente, elas achavam que agíamos de maneira estúpida... quando, na verdade, todos nós agíamos com total naturalidade.

Desde o início da vida, os meninos são... bem, *meninos.*

Fazem ruídos como *Brruuumm!* e *Criiiiicchhh!* e *Rraaaammmmm!* enquanto dirigem caminhões e carros de bombeiro de brinquedo. Gostam de trombar seus veículos, normalmente em alta velocidade.

Eles assobiam e cospem.

Caçoam das meninas quando elas gostam deles.

Arrotam à mesa de jantar... só por brincadeira. Não vamos mencionar os outros ruídos corporais que eles se esforçam para fazer.

Confrontam uns aos outros no jardim de infância com conversas como:

— Meu pai é maior que qualquer pessoa do mundo.

— Ah é? Bom, meu pai é maior que o seu pai.

— Você acha mesmo, não é? Bom, o meu pai...

Eles se vangloriam de suas conquistas... e comparam quem tem o maior membro quanto tomam banho na escola.

E o que acontece quando esses meninos crescem?

A insolência e o amor pelo perigo permanecem. Este é um bom exemplo: o homem que dirige uma picape com um adesivo enorme no vidro de trás onde se lê POLICIAIS MENTEM.

Como diz um amigo meu, "a testosterona não muda quando o menino cresce... porque ele nunca cresce de verdade".

Seu grande menino pequeno

Minha mãe odiava lavar minhas roupas, e quem poderia culpá-la? Certa vez, ela enfiou a mão no bolso de minha calça, e foi picada.

— Keeevvviinn! — gritou ela. — Desça já aqui!

Do jeito que ela gritou, achei que alguém havia morrido. Assim, fui correndo.

— Sim, mamãe, o que foi?

— O que você colocou no bolso?

Encolhi os ombros e enfiei a mão no bolso. Tirei um lagostim, um grilo, duas salamandras e um gafanhoto.

— Iscas — disse eu, todo orgulhoso. — Fui pescar hoje, lembra-se?

Minha mãe provavelmente queria me estrangular, mas ela era uma mulher muito paciente. (Fui o filho que mais testou sua paciência.) Ela disse:

— Ótimo, mas da próxima vez que for pescar, você poderia retirar todos os animais, insetos e qualquer coisa enlameada e viva dos bolsos de sua calça antes de colocá-la no cesto de roupa suja?

Então, passei pela minha fase de comida para cachorro. Basta um menino olhar seu cachorro comendo para pensar: "Que gosto será que tem isso?". Pior ainda é que terminei gostando muito daquele sabor. Para completar, comecei a chamar a atenção comendo aquelas coisas e me orgulhava de fazer palhaçadas.

Minha mãe nunca se acostumou com esse truque, mas outras pessoas sim. Em certo Natal, uma mulher que me escutou falando pela rádio enviou-me uma caixa de biscoitos para cachorro congelados. Se tivessem inventado isso quando era criança, nunca teria comido meu jantar!

Não demorou até que meu irmão de 18 anos me desse o troco. Estava no meu escritório, muitos anos atrás, quando recebi uma ligação nervosa de Sande. Ela estava chorando — quase histérica —, e imediatamente senti meu coração disparar. Tinha certeza de que um dos meus filhos havia morrido ou estava em condições críticas.

— Querida, o que foi?

— É o Kevin.

“Oh, não”, pensei. Perguntei:

— Ele caiu na piscina?

— Não — disse Sande. — Foi seu pica-pau.

— Seu pica-pau?

— Sim, ele está roxo!

— Roxo? O que aconteceu? Alguém bateu nele?

— Não, ele pintou o passarinho com um pincel atômico.

Caí na gargalhada. O pequeno Kevin sempre demonstrou aptidão pelas artes (mais tarde, ele escolheu a faculdade de artes), mas seu empenho criativo superou tudo.

— Do que você está rindo? — perguntou Sande, horrorizada.

— Os meninos fazem coisas assim — respondi. — Essa é a coisa mais engraçada que já ouvi!

Uma vez que todos nós, homens, já fomos meninos um dia, nossa tendência é dar uma boa gargalhada, em vez de chorar diante das travessuras de nossos próprios meninos.

O simples fato de seu marido ter completado trinta ou cinquenta anos não significa que ele deixou de se parecer com um menino e de fazer coisas tolas. Podemos ter aprendido a controlar-nos um pouco mais, mas muitos de nós ainda surpreendemos a esposa com as coisas aparentemente sem sentido que fazemos. Se você me desse um biscoito para cachorro hoje e se eu estivesse de bom humor, provavelmente o comeria (mas, a propósito, só se fosse da minha marca preferida; de outra marca, não!).

Meninos serão sempre meninos

Os meninos nunca crescem de fato.

É por isso que, assim que o colega de seu marido compra um conversível de dois lugares, os dois vão queimar o asfalto de sua rua e sair para dar apenas uma volta no quarteirão... e reaparecerão três horas depois, quando o assado estiver pronto.

É por isso que ele pode simplesmente grunhir quando você falar com ele depois do trabalho, mas pode passar a hora seguinte discutindo com um colega ao telefone sobre como chegar ao último nível de um jogo para computador. É por isso que ele não vê a torneira quebrada que precisa ser consertada, mas sabe o exato momento em que um novo modelo de DVD chega às lojas.

É por isso que, de repente, sozinho, ele sente vontade de colocar uma cerca nova no quintal, pois viu o vizinho colocando a dele.

Todo homem sente intensamente na alma a "busca constante para ser o número 1", que é algo com que ele nasceu.

Se você duvida disso, perceba a diferença na maneira de conversar de meninos pequenos, quando conversam exclusivamente entre meninos, e como meninas pequenas conversam, quando estão exclusivamente entre meninas.

Meninos:

— Olha o que consigo fazer!

— Tudo bem, mas eu consigo balançar mais alto.

— Mas eu consigo ficar de cabeça para baixo nas barras.

— Também sei fazer isso. Vamos ver quem chega lá primeiro!

Meninas:

— Hoje vamos brincar de casinha ou de escolinha?

— Ah, por que não brincamos de casinha?

As meninas olham nos olhos umas das outras no grupo.

— Tudo bem para você, Rachel?

Rachel concorda com a cabeça.

— É claro, vamos brincar!

— E você, Amy?

Preste atenção em cada conversa. Existem palavras que se repetem na conversa dos meninos? E na das meninas?

Em razão de seu impulso para ser o número 1 — o que significa que tudo o mais é secundário —, os meninos tendem a usar *eu*. "Olha o que (eu) consigo fazer!" Perceba também o desafio: "Vamos ver quem chega lá primeiro!". Os meninos tendem à independência, e essa tendência fica cada vez mais forte à medida que crescem.

As meninas pequenas, que, por natureza, normalmente são mais relacionais, tendem a usar *nós* ou *você*. Decidem coisas por meio de comitês, envolvendo todas numa decisão e certificando-se de que todas estão confortáveis com a próxima ação antes de darem o passo seguinte: "Tudo bem para você, Rachel?" e "E você, Amy?".

Não é surpresa que, no casamento, seja importante para você, como mulher, obter a opinião de seu homem em relação às coisas que são importantes para você. Mas o que você precisa perceber é que nem tudo que é importante para você é importante para ele. Às vezes nós, homens, não temos uma opinião porque aquilo que você quer saber de nós não ocupa lugar de importância em nossa escala (leia mais sobre isso no capítulo 3). Em outros momentos, nossos pensamentos podem estar solidamente atolados no barro de nosso próprio pântano, e nos sentimos como verdadeiros crocodilos. Talvez estejamos preocupados com o fato de que, se falharmos em determinado projeto na empresa, possamos perder o emprego. E, se perdermos emprego, o que acontecerá com o financiamento da casa e a prestação do carro? Assim, suas preocupações — embora importantes para os homens — podem não parecer tão importantes quanto aquele desejo de ser o número 1.

Isso significa que os homens não se importam? Não, quer dizer simplesmente que, diante do desejo interior de ser o número 1, todas as outras coisas empalidecem. É por isso que não necessariamente nos lembramos de algo que você considera importante.

É por isso que temos um forte desejo de competir, e, para todo homem, este é um mundo em que impera a lei do cão.

Competição — o nome do jogo

Dizer que eu e minha esposa, Sande, temos pensamentos completamente diferentes em relação à forma de dirigir é um eufemismo.

Sande não sabe ir para a pista da esquerda e disparar quando o tráfego fica lento como uma tartaruga na faixa em que ela está. Em vez disso, ela espera pacientemente em sua faixa até chegar ao lugar aonde quer ir.

Sou diferente. Se houver um espaço de meio carro na minha faixa, saio imediatamente para a outra faixa para ver até onde consigo ir. Chego até mesmo a prestar atenção no cara da picape azul que está na faixa mais rápida para ver se consigo passar à frente dele. E sou capaz de ver uma placa de deficiente num carro popular com um semáforo de antecedência.

Certa vez, Sande me pegou no trabalho para sairmos para jantar. Ela seguiu pela faixa da direita e lentamente parou o carro no semáforo atrás de uma longa fila de veículos, incluindo um caminhão de lixo e um ônibus.

Dei uma olhada rápida em volta. A faixa do meio tinha apenas dois carros — e ambos eram potentes. A faixa da esquerda tinha três *minivans*, o que provavelmente significava que a velocidade ali seria baixa. A faixa do meio certamente era o lugar onde se devia ficar.

— Ahn, Sande, você poderia ir para a faixa do meio.

— Estou muito feliz aqui — disse ela.

E ali continuou... na faixa mais lenta possível.

Isso era mais do que meu ego masculino competidor poderia suportar.

— Você nunca vai ganhar a corrida nesta faixa! — exclamei.

Ela me deu aquela olhada. A olhada que todas as esposas dão ao marido de vez em quando. Então, a seguir, veio a frase clássica:

— *Do que* você está falando?

Tudo se resume ao fato de que os meninos já nascem competitivos. São determinados a ir atrás do que desejam, a partir para a briga se for necessário.

Se você duvida disso, nem que seja por apenas um minuto, e acha que estou estereotipando os gêneros, simplesmente assista a dois homens jogando tênis e, depois, veja duas mulheres praticando o mesmo esporte (a não ser, é claro, que as mulheres estejam disputando algum esporte olímpico). Você rapidamente verá a diferença. A necessidade de competir está dentro de todo homem.

Mas as mulheres? Elas são muito diferentes. Na minha carreira de educador, fui técnico de basquete numa equipe feminina. Aprendi rapidamente que não se grita com meninas. Você nem mesmo levanta a voz, ou pode dar início a um rio de lágrimas.

Certo dia, uma menina estava com cara de dor, chorando e fazendo tanto escândalo que achei que tivesse quebrado o pulso ou o braço. Quando fui até lá, pude ouvi-la dizer em meio a lágrimas: "Professor, quebrei a unha".

Em outra ocasião, o jogo já havia começado, mas apenas quatro das minhas jogadoras estavam em quadra.

— Cadê a Brittany? — perguntei, confuso.

— Ela está no chuveiro, chorando — disse uma das meninas.

Enquanto as meninas demonstram suas emoções delicadas e com frequência se juntam em grupos no *playground* e discutem quem é a mais popular e tópicos relacionais semelhantes, os meninos conversam sobre quem ganhou a última competição. Não importa se estão jogando Banco Imobiliário, brincando numa quadra ou pisando forte no chão para matar o maior número de formigas. Eles normalmente querem ser os melhores.

Quando os meninos crescem, comparam salários e o tamanho de seus escritórios.

Por essa razão, é uma situação particularmente difícil para um homem sentir-se inadequado na área da competição. Quando ele se sente perdido em meio a uma crise da meia-idade ou acha que não tem mais valor por não conseguir manter um emprego fixo. Quando percebe que seu papel no lar não é de fato importante (falarei mais sobre isso no capítulo 6). Quando sente que você poderia sair-se muito bem sem ele.

O que um homem jamais ouvirá da boca de uma mulher, mas que gostaria de escutar:

- "E por que eu precisaria de mais sapatos?"
- "Ei, querido, liguei para a empresa de TV a cabo e pedi outro ponto para nosso quarto. Também comprei o pacote do campeonato nacional de futebol e outro canal de esportes. Espero que você não se importe. Desse modo, você pode assistir a quantos esportes quiser, com conforto."
- "Gosto de vê-lo se reunindo com os rapazes. Fico feliz por vê-lo alegre e relaxado."
- "Aquele novo cortador de grama motorizado que você comprou é muito bom. É o maior do quarteirão!"

O que uma mulher jamais ouvirá da boca de um homem, mas que gostaria de escutar:

- "Já fizemos bastante sexo neste mês. Que tal simplesmente ficarmos juntos no sofá e assistir a uma comédia romântica hoje à noite?"
- "Sei que essa é uma questão difícil, querida, mas quero perguntar assim mesmo. O que posso fazer para incentivar sua mãe a ficar aqui mais tempo do que as seis semanas que ela já planeja ficar?"
- "Fique na cama e descanse. Será um prazer levantar e cuidar do bebê."
- "É claro que sei que nosso aniversário de casamento é na noite da final do campeonato. Mas nem sonho em assistir ao jogo com os rapazes naquela noite. Você é a primeira no meu coração."

O que importa não é apenas a coisa, mas o tamanho da coisa

Para um homem, não importa apenas a coisa, mas o *tamanho* da coisa. É por isso que seu homem tem vontade de comprar uma lancha de dez pés quando seu vizinho comprou uma de oito pés. Essa é a razão de ele ir cinco noites por semana à academia enquanto seu colega de trabalho diz que vai às segundas e sextas para tonificar seus músculos abdominais.

Embora você possa achar que toda essa arrogância e vanglória são uma enorme bobagem, essas coisas fazem parte do espírito competitivo masculino. Isso transparece em tudo o que os homens fazem, mesmo nos momentos em que deveriam estar apenas se divertindo.

Ken, Jim e Jason estavam "criando vínculos em torno do churrasco" (como as esposas costumam chamar) num dia de verão, e surgiu uma ideia: que tal sair para pescar num fim de semana do começo do outono?

Cada um tomou nota do possível compromisso em seu *smartphone*, e, então, prontamente seguiram para outros assuntos.

No dia anterior ao passeio, conversaram para fazer os acertos finais enquanto as esposas olhavam entretidas para *menus* como:

Café da manhã: bife
Almoço: frango
Jantar: peixe (É claro que contavam que pescariam alguma coisa, uma vez que ninguém comprou peixe no mercado.)

Não havia frutas, vegetais nem qualquer coisa de algum outro grupo alimentar à vista. Os homens levaram pratos descartáveis, mas nada de facas, garfos, colheres ou copos. Não havia papel higiênico, embora fossem passar seu fim de semana no mato à beira de um rio. Todas as mulheres ficaram pensando secretamente como seus homens se sairiam no fim de semana.

Dois dias e meio depois, os rapazes voltaram para casa. Estavam enlameados, com cabelos desgrenhados e cheirando a peixe. Mas todos estavam radiantes como meninos, com os prêmios que haviam pescado.

Ken pegou um particularmente grande, com 1,3m de comprimento. Embora os homens tenha fritado os outros peixes, Ken trouxe o seu para casa embrulhado num saco plástico de lixo cheio de gelo para compartilhar com Andrea, sua esposa. Com o entusiasmo de um garoto, mostrou sua presa bem diante dos olhos arregalados dela (e de suas narinas agredidas).

Três semanas depois, Ken chegou em casa com uma caixa enorme.

— Dê uma olhada! — disse ele a Andrea.

Ali na caixa, estava a cabeça daquele peixe que trouxera, montada sobre uma placa comemorativa, com o anzol ainda pendurado na boca do bicho.

— Não é demais? — disse Ken. — Mal posso esperar para pendurá-lo na parede.

Senhoras, adivinhem onde ele queria pendurar o troféu? No quarto deles, logo acima da cama!

Andrea imaginou toda a cena em sua cabeça. Ela não conseguia imaginar como seria acordar todas as manhãs com aquele peixe enorme olhando para ela. Precisou segurar sua vontade de dizer: "Ahn, que tal na garagem?", porque não queria murchar o ego de menino de Ken.

Em vez disso, ela disse sabiamente:

— Sabe, andei pensando e acho que poderíamos transformar aquele porão ainda não reformado numa sala de troféus para você e seus amigos. Você estaria aberto a essa ideia?

Seria um ótimo lugar para pendurar seu peixe. Então, você e seus amigos poderiam se lembrar dos bons momentos que passaram pescando juntos!

Isso é que é uma mulher inteligente. Andrea entendia não apenas quanto aquela pescaria fora importante para seu "meninão", mas também da importância do *tamanho* da presa. Ken participou de um campeonato de pescaria com os outros rapazes e ganhou o prêmio principal. Andrea estava disposta a fazer alguns ajustes que demonstravam ao marido que aquilo que era importante para ele também era importante para ela. E ela conseguiu contornar cuidadosamente a questão de ter aquele peixe pendurado na cabeceira de sua cama.

Pensando rapidamente, deu a seu menino grande o apoio de que ele precisava. Tudo porque ela entendeu que, para um homem, maior é melhor.

A princesa e a síndrome do conquistador

A maioria das meninas deseja ser uma princesa. A menina sonha com a chegada de um príncipe que a arrebatará do chão e a levará para um castelo de sonhos. Lá, naquele castelo numa terra distante, eles viverão felizes para sempre em perfeita harmonia.

Mas o que elas normalmente recebem é o tratamento do "conquistador": "Sou o mestre do meu destino e também do seu, e governarei sobre você". Também é conhecido como o "tratamento do homem das cavernas": "Você, mulher; eu, homem. Você, minha. Venha para a caverna *agora!*".

O conquistador

Toda mulher que tem um homem em sua vida sem dúvida já viveu a situação descrita a seguir.

O homem está dirigindo seu veículo.

A mulher está tentando manter a paciência no banco do passageiro.

Contudo, depois de passarem pelo mesmo quarteirão pela quarta vez, a mulher tem uma comichão e diz:

— Amor, será que não estamos perdidos?

— Ah, não — diz o homem, com confiança. — É logo ali na esquina.

Dez minutos depois, eles ainda estão andando.

— Querido, talvez devêssemos pedir informações — sugere a mulher.

— Não! — responde o homem, com veemência. — Posso descobrir sozinho. Estamos quase lá.

Perceba o tom da resposta do homem. Por que ele está tão perturbado?

Para você, faz todo sentido pedir informações quando está perdida. Afinal de contas, por que gastar toda aquela gasolina e tempo andando em círculos?

Mas veja a situação pela perspectiva do homem. Desde criança, ele é inclinado a ser conquistador. É por isso que ele não gosta nem da *sugestão* de pedir informações.

Na cabeça dele, você está sugerindo: "Ah, maridão, acho que você está total e irremediavelmente perdido, e simplesmente não quer admitir".

Seu homem não gosta de sentir-se inepto em nenhuma área porque seu desejo interior é *conquistar qualquer missão*, incluindo aquelas nas quais ele não é tão bom. Ele crê que pode fazer o serviço, que pode descobrir tudo sozinho, sem nenhuma ajuda (incluindo a sua), obrigado.

É importante para o modo de ele se sentir em relação a si mesmo como homem que você permita que ele não apenas compita, mas que conquiste.

Assim, da próxima vez que estiver no banco do passageiro e vocês estiverem andando em círculos, pergunte a si mesma: “Será que é tão ruim deixá-lo ser o conquistador? Ainda que isso signifique andar em círculos? Ou chegar um pouco tarde?”. Por mais desesperador que isso lhe possa parecer às vezes, tente enxergar mais longe. Dê a seu marido a permissão para tentar... e errar, se for preciso. Vocês terminarão chegando ao seu destino, mas ambos estarão mais bem-humorados se você deixar que ele seja o conquistador que foi planejado para ser.

Lembre-se de uma coisa: quando estiver dirigindo e seu marido não estiver no carro, você poderá parar um zilhão de vezes com suas amigas para pedir informações.

Dentro de todo homem, existe a necessidade de conquistar. Essa é a razão de ser tão importante ir para a faixa mais veloz da vida. É por isso que ter autoridade sobre o controle remoto da televisão e ser capaz de surfar por todos os canais continuamente, apenas para ver o que está passando, é tão importante, mesmo quando o piscar constante da tela e a mudança dos personagens e enredos deixar você louca.

Existe outro lado igualmente importante do homem conquistador.

Quando conquista, ele conquista. Na cabeça dele, quando faz um trabalho, o trabalho está feito e terminado. Considere o homem e a mulher casados há três anos e que enfrentam dificuldades no relacionamento.

— Mas, querido — diz a mulher, implorando — faz três anos que você não diz que me ama!

Qual é a resposta do homem? A sobrancelha demonstra seu estado de confusão antes de falar:

— Eu disse que a amava quando nos casamos... e isso não mudou!

Para ele, quando enfrentou todos os detalhes da cerimônia de casamento e depois de ter cruzado os umbrais do lar com a noiva nos braços, a missão do casamento foi cumprida. Daí para a frente, ele se envolveu no próximo objetivo a ser conquistado: um salário maior para cuidar melhor de sua nova família.

Não leve o foco singular de seu marido para o lado pessoal. Não existe o propósito de ir contra você (a não ser que haja um problema no relacionamento de vocês que ele está tentando evitar). Em vez disso, perceba que seu conquistador conquista uma tarefa por vez. E às vezes pode ser que ele precise de sua ajuda gentil para redirecionar ou ampliar seu foco. (Você lerá mais sobre isso nos capítulos seguintes.)

O clamor por vencer

Todo homem levanta pela manhã com o seguinte pensamento: "Preciso vencer. Assim que meus pés tocarem o chão, começa a corrida para ver quem chega primeiro, quem trabalha mais, quem é o melhor, quem é o mais rápido. Ali está o cara que vai vencer. E esse cara serei eu".

Embora tenha vencido ontem, isso não faz a menor diferença. Ele precisa ganhar de novo *hoje*, amanhã e todos os outros dias.

Como você pode ver, seu homem sabe que, no mundo de hoje, não há lugar para o perdedor. Ele teme que a empresa em que trabalha entre em crise. E fica pensando se será forçado a mudar ou se permanecer ali e precisar aceitar. Se permanecer ali, precisará aceitar uma redução de salário. E não há como evitar que isso afete sua vida em família.

Passando constantemente por seus pensamentos e diante dele todos os dias está a ideia de que a vida é incerta. Vidas são mudadas pela caneta de um burocrata. A competição é acirrada. Todos os dias, ele enfrenta enorme pressão para ser o melhor. Para fechar o maior pedido. Para escavar os alicerces de uma casa mais rápido que qualquer outro.

Ele precisa vencer. Esse raciocínio interior está presente em tudo o que ele faz.

"Quero isso — agora!"

Tenho de admitir. Às vezes tenho a maturidade de uma cenoura em miniatura. Exijo gratificação imediata. O elogio é importante para mim.

Na semana passada, uma mulher veio falar comigo numa livraria onde eu estava autografando alguns livros meus. Depois de esperar que a fila terminasse, ela disse:

— Dr. Leman, li todos os seus livros. Mas quero que saiba que *Sheet Music* mudou minha vida, a do meu marido e nosso relacionamento. Tínhamos dificuldades com o sexo desde o início do casamento. Nunca me senti bem em relação a mim mesma ou à aparência de meu corpo. Pela primeira vez em dezessete anos, agora estamos desfrutando do sexo. Queria agradecer-lhe por isso.

— Uau! — disse a ela. — Sinto-me como uma foca que recebeu um peixe de dois quilos! É por isso que faço o que faço!

Esse elogio tranquilo de uma única mulher significou o mundo para mim como autor... e como homem.

Por que as palavras de uma mulher foram tão importantes? Porque elas me disseram claramente que meu trabalho era importante. E, para um homem, isso significa: "*Eu* sou importante". Para o homem, seu trabalho *é* quem ele é.

Compare isso com uma mulher, para quem o trabalho é *parte* do que ela faz. Lembra-se das duas mulheres, citadas no capítulo 1, que se encontraram junto à poncheira e que, apesar de ambas trabalharem, suas ocupações nem sequer foram citadas durante a conversa? Tais realidades revelam a prioridade do trabalho na vida de uma mulher, ainda que ela trabalhe fora de casa — e até mesmo se ela fizer uma grande contribuição financeira para os fundos da família.

Na *pizza* que representa o dia de uma mulher, o trabalho é apenas uma fatia. É por isso que ela faz ligações durante os intervalos e na hora do almoço para marcar consultas médicas e verificar as aulas de balé, além de navegar na internet em busca dos sapatos vermelhos de Mary Jane porque sua filha *precisa* deles.

Em virtude do ímpeto competitivo inato do homem, do desejo de ser conquistador e do anseio por vencer, seu homem também clama por *gratificação imediata*, não gratificação que venha com o tempo. Isso significa que ele quer lhe falar imediatamente sobre o projeto dele que deu certo na empresa e o que seu chefe disse sobre isso.

Um homem deve sempre receber gratificação imediata? Não, pois assim ele será como o menino que recebe tudo — aquele pequeno idiota hedonista com quem é impossível viver.

Mas a mulher sábia percebe que um homem foi feito para querer as coisas *agora*. Ela perceberá que um homem que é sempre contrariado em seus desejos começará a procurar gratificação em outros lugares.

Às vezes você ficará louca tentando lidar com seu menino grande. Um homem que age de modo tão competitivo, como o homem das cavernas conquistador, e que precisa vencer. Naqueles momentos, pense na situação levando em conta este pequeno detalhe: se o seu homem não fosse tão competitivo, será que ele teria tido coragem de ir atrás de você? Se não fosse tão conquistador, você teria dito sim ao seu pedido de casamento?

Sabe, você precisa se sentir lisonjeada. Seu homem viu você como um prêmio a ser ganho e correu atrás dele! Ele correu atrás do ouro: você!

A outra mulher

Você sabia que existe outra mulher na vida de seu marido? E que ela veio para ficar?

É comum que o comportamento de seu marido tenha tudo que ver com essa outra mulher na vida dele... a mãe dele.

Estou convencido de que sou o homem que sou por causa de quem minha *mãe* foi.

"Você quer dizer seu *pai*, não é?", você pode estar dizendo.

"Não", eu responderia. "Por causa da minha *mãe*."

Depois de passar anos no campo da psicologia e de conversar e/ou aconselhar milhares de homens e mulheres, estou convencido de que é o pai quem faz a maior diferença na vida de sua filha e a mãe é quem faz a maior diferença na vida de um filho.[1] Esses relacionamentos cruzados entre os sexos deixam marcas indeléveis.

Não cresci numa família perfeita. Meu pai era alcoólatra. Nem sempre tive um bom relacionamento com ele. Na verdade, houve momentos em minha vida nos quais desejei que ele não fizesse parte da minha vida. Mas, à medida que eu crescia, as coisas mudaram para melhor. Passei a entender melhor meu pai e os anos da infância dele que tiveram impacto na pessoa em que ele se tornou quando adulto. Sua família católica irlandesa era tão pobre que ele e seus irmãos costumavam dizer que "o primeiro que se vestisse era o mais bem-vestido". Isso acontecia porque quem se vestia primeiro conseguia escolher as roupas. Os outros usavam o que sobrava.

Contudo, sempre fui próximo de minha mãe durante a fase de crescimento. Mesmo durante os anos em que os filhos têm dificuldade para conversar com seus pais, eu podia conversar com minha mãe sobre qualquer coisa — incluindo meninas e sexo. Minha mãe sempre foi uma pessoa de falar as coisas diretamente. Sabia que ela me amava. E, independentemente do que os outros diziam, ela sempre acreditou em mim e esperou o melhor de mim.

Eu, um garoto que, na escola, era mais estúpido que um tijolo. Já estava no final do ensino médio, mas, mesmo assim, matriculei-me no curso de matemática do consumidor

— aulas em que você era apresentado a problemas como este: "Nancy foi ao mercado com um dólar. Comprou quatro maçãs e voltou para casa com um troco de dezesseis centavos. Quanto Nancy gastou no mercado?". O curso tinha um objetivo básico: ensinar-me a fazer compras no mercado depois de me formar!

Certo ano, em vez de uma nota no boletim, havia um traço, porque fiz a professora desistir de lecionar. Ela saiu da escola no meio do ano... por minha causa. Fui expulso daquela classe. Desde aquele dia, sinto-me culpado pelo modo com que tratei aquela mulher. Tentei localizá-la várias vezes para pedir-lhe desculpas face a face por ter sido a criança que fui, mas não consegui encontrá-la.

Recebi um "incompleto" até mesmo naquela aula de matemática do consumidor, fui três vezes um fiasco em latim e nunca passei em química.

Kevin Leman não parecia estar na estrada para o sucesso em nenhuma área da vida.

Depois de chegar à idade adulta, minha mãe disse-me certa vez que ela sempre orou assim: "Deus, por favor, envie pelo menos uma nota 5 no seu boletim como sinal de que há *alguma coisa* dentro daquele menino". Era comum ela estar mais vezes na escola do que eu — conversando com professores que diziam constantemente: "Se o Kevin se comportasse...".

Minha mãe teve muito estresse na vida. Éramos pobres. Em parte da minha infância e adolescência, não tínhamos carro. Meu pai tinha um caminhão de entregas — daqueles cujo único assento é o do motorista. Lembro-me de sentar-me nos sacos plásticos da lavanderia e ajudá-lo a fazer as entregas nas casas. Tínhamos uma casa modesta que fora dada ao meu pai por uma tia.

Quando os negócios de meu pai afundaram, mamãe arregaçou as mangas e foi trabalhar como enfermeira para que a família Leman tivesse as coisas básicas. Ela trabalhava duro

— com frequência, a noite toda. Uma de minhas lembranças mais vivas é a de vê-la caminhando por meio metro de neve às sete horas. Ela descia nossa rua em Buffalo, Nova York, depois de ter trabalhado no turno da noite no hospital.

Uma vez que meus pais trabalhavam, eu ficava sozinho em casa ainda pequeno, numa época em que isso não era comum. Todas as outras crianças pareciam ter pais saídos de alguma série familiar da televisão. Quando um menino me provocou por pura maldade, dizendo que minha mãe não se importava comigo porque não estava em casa quando eu chegava, dei-lhe um belo chute no traseiro.

Amava minha mãe. Estava claro que ela me amava e a meus irmãos. No meio de todo esse trabalho duro, ela arrumava tempo para ir pescar comigo. Quando eu tinha cinco ou seis anos de idade, íamos até um riacho, a cerca de um quilômetro de casa, para pescar. Ela comemorava cada peixe que eu pegava como se fosse a coisa mais espetacular que alguém já fizera! Meu coração de menino se enchia de orgulho. Talvez minha mãe já soubesse naquela época que eu enfrentaria dificuldades na vida acadêmica e que precisava de um empurrão logo no início da vida para ser bem-sucedido em alguma coisa.

Por toda a minha infância, minha mãe foi minha campeã. Até mesmo quando, aos olhos do mundo, eu era um fracasso... e continuei a sê-lo por muitos anos.

Depois de terminar a faculdade, passei nove meses procurando o emprego certo. Preferia um cargo de nível executivo, mas o único emprego que me ofereceram foi o de zelador. Foi um vale escuro na minha vida, onde o único crachá que eu usava era o emblema da limpeza do Centro Médico de Tucson — as letras TMC (da sigla em inglês) e uma vassoura e um esfregão cruzados — no meu uniforme. Estava realmente tentando "me achar". Decidi fazer um curso noturno de geologia na Universidade do Arizona, ali perto... e fracassei.

Alguém me disse que a persistência compensa, de modo que, no semestre seguinte, tentei de novo... e fracassei outra vez. Lá estava eu, num placar de 2 x 0 para a universidade, fracassando e pensando o que a vida me reservava.

Porém, perto do meu aniversário de 22 anos, minha vida mudou. Encontrei uma auxiliar de enfermagem chamada Sande e fiquei perdidamente apaixonado por ela. Quando começamos a namorar, ela fez o pedido. Perguntou se eu queria ir à igreja com ela! Você precisa entender que ir à igreja era a última coisa que eu tinha em mente. Minha ideia dos cristãos era que eles eram algumas das pessoas mais esquisitas de toda a face da terra. Mas Sande tinha algo especial que irradiava de sua personalidade, e aquilo me atraía. Assim, fui com ela à igreja no domingo seguinte... e, então, ela quis que eu voltasse com ela à noite. Lembro-me de ter pensado: "Nenhuma mulher vale esse esforço!".

Só que Sande valia, e, assim, fui. Naquela noite, o pastor falou sobre um cara que conhecia Jesus Cristo na mente, mas que não o conhecia no coração. Sentado ali, sentindo-me bastante desconfortável, precisei dizer a mim mesmo a verdade: *eu* era um daqueles caras, e ele estava falando *de mim*. Todas as vezes que levantava o olhar, via os olhos castanhos do pastor olhando direto para mim.

Lembro-me de, naquela noite, ter saído daquela igreja sentindo-me limpo pela primeira vez na vida. Estava surpreso não apenas por poder conversar com Deus, mas com o fato de que ele de fato me ouvia. Eu podia ter um *relacionamento* com aquele que me havia criado.

A grande verdade é que, quando encontrei Deus, minha vida deu uma guinada total. Por sua misericórdia, ele me deu a motivação para voltar para a escola não apenas para *uma* aula, mas para estudar em tempo integral, enquanto trabalhava em tempo integral como zelador.

Naquele primeiro semestre, minhas notas foram A em todas as disciplinas, exceto em uma, na qual tirei B. Fui citado na lista de honra. Ainda me lembro de ter olhado aquele quadro e gritado meu nome: "Kevin Leman". As notas eram tão incompatíveis com o modo com que me via que não podia acreditar que eram minhas!

Logo depois disso, recebi um bilhete dizendo que deveria apresentar-me ao assistente acadêmico.

Minha primeira reação? "Não fiz nada de errado!" (Era uma resposta quase mecânica, acredite.) Fiquei assustado. Meu pensamento de menino pequeno me disse: "Da última vez que vi um assistente acadêmico, ele me expulsou da faculdade".

Fui vê-lo mesmo assim.

— Filho — disse o assistente — você ganhou a Bolsa Universitária por Honra. Não precisa pagar o curso no próximo semestre.

Quase caí da cadeira. Será que eu, Kevin Leman, o fracassado, ouvi direito?

Depois disso, tornei-me um estudante de honra.

Cheguei muito longe... e credito esse sucesso à minha mãe. Entre todas as pessoas, ela foi aquela que acreditou em mim o tempo todo.

Isso me deu o poder de fogo para o sucesso em minha vida adulta. Deu-me a confiança para descobrir em que eu era bom.

Fiquei muito feliz quando, finalmente, minha mãe pôde se aposentar. Ela mereceu. Queria que ela desfrutasse a vida. Depois de sua morte, descobri uma carta guardada por ela que eu lhe havia enviado quando minhas filhas Holly e Krissy tinham quatro e dois, anos respectivamente. Eis o que eu disse:

> Sally [minha irmã] ficou com o piano. Jack [meu irmão] ficou com meu trenzinho. Mas acho que de fato ficamos com a melhor parte: você, em Tucson.

Era muito mais importante para mim — mais do que qualquer bem material — que a mulher presente em minha vida e que formou a pessoa na qual me tornei pudesse viver na mesma cidade e ser parte da fase de crescimento de meus próprios filhos.

Essa "outra mulher" da minha vida fez toda a diferença no adulto que sou hoje. E a "outra mulher" da vida de seu marido faz toda a diferença no adulto em que seu homem se tornou.

Sufocadora, disciplinadora ou agitadora?

A esposa sábia levará em conta a criação de seu marido — como ele foi tratado pela mãe, que o teve por pelo menos dezoito anos.

Mãe sufocadora

As mães sufocadoras não deixam seus filhos praticar esportes porque não querem que se machuquem. Não querem que subam em árvores porque podem cair. Não os deixam fazer caminhadas porque podem se perder. Em resumo, elas não os deixam fazer as coisas de que os meninos mais gostam e que lhes permitem competir, conquistar e vencer.

Sim, essas mães podem deixar seus filhos mais "seguros" fisicamente. Mas existe uma armadilha perigosa aqui: se você impedir que o menino faça coisas saudáveis por dezoito anos, ele vai se rebelar assim que tiver uma oportunidade. Ele não vai rebelar-se fazendo coisas saudáveis, como ser técnico do time de futebol do filho ou jogar golfe. O pior é que, em muitos casos, ele não vai descontar isso em sua mãe, mas em sua esposa.

Boa sorte!

Uma mãe sufocadora costuma arrumar desculpas para seu menino. Se o menino quer faltar à escola, ela escreve um bilhete que diz: *Pedro não está se sentindo bem.* Se ele sai para brincar na rua antes de cumprir seus deveres de casa, ela dá de ombros. Se ele quer brincar com o *videogame*, em vez de fazer a lição de casa, ela olha para o outro lado.

Ela está profundamente disposta a "adaptar" a verdade para proteger a reputação de seu menino.

Digamos que as crianças estejam atrasadas para a aula porque Pedro e Carina brigaram a manhã inteira. A mãe inteligente incluirá esse pequeno detalhe no bilhete que será mandado à escola! Ela não vai sequer *pensar* em acobertar seus filhos. Em vez disso, escreverá:

> Cara professora:
>
> Pedro está atrasado para a aula porque foi irresponsável nesta manhã e ficou brigando com a irmã, em vez de se aprontar.

A mãe sufocadora, por outro lado, inventará uma desculpa esfarrapada que preserve a "imagem" temporária de seu filho... contudo, ao fazer isso, estará prejudicando o caráter dele a longo prazo.

Já pensou por que seu marido pode presumir que você vai encobrir os erros dele? Por que, para ele, não haveria problema em mentir para livrá-lo de um constrangimento? Dê uma olhada na mãe dele. Ela era uma mãe sufocadora? Ela era sua cobertura?

Meus filhos sabem que eu morreria por eles, que os sustentaria, protegeria, perdoaria e amaria, mas que *nunca mentiria para ajudá-los*. Não os enfraqueceria ao permitir que se livrassem da responsabilidade pessoal.

Quando uma mãe se recusa a mentir em favor de seu filho, ela está lhe ensinando que as mulheres não foram feitas para ser usadas. Elas não estão ali para ocultar coisas ou ser usadas como parte de um esquema de acobertamento.

Se sua sogra foi uma mulher fraca, é bem possível que seu marido pense que todas as mulheres sejam fracas, ainda que provavelmente nunca tenha verbalizado isso. Se ele aprendeu desde o início da vida que podia controlar e manipular sua mãe, ele presumirá que pode fazer o mesmo com você.

Se você se casou nessa situação, o que fazer? Precisa assumir o controle. Agora mesmo. Com amor, mas também com firmeza, lute por si mesma e mostre alguma força.

Outra coisa a considerar é se a mãe de seu marido deu-lhe espaço para errar. Certa vez, durante um programa de rádio, uma ouvinte ligou e disse que, para conseguir que seu filho fizesse qualquer coisa, ela precisava correr atrás dele pela casa dizendo coisas como: "Pegue seus sapatos! Vista a camisa!". Ela foi contando todas as coisas que seu filho nunca fazia e até que ponto precisava chegar para que ele as fizesse.

Quando ficou sem fôlego, perguntei:

— Você gostaria de que alguém a seguisse pela casa com um bloco de notas e uma caneta tomando nota de tudo o que fez de errado? Dizendo: "Limpe aquela mesa de novo. Encontrei uma mancha! Lave a pia! Opa, você esqueceu um fiapo de algodão quando passou o aspirador na sala!"?

Houve um silêncio por alguns instantes, e, então, ela disse:

— Não gostaria nem um pouco.

— É claro que não — disse eu — e seu filho também não gosta. Nós, pais, cometemos erros e nossos filhos também. Não exija de seu filho um padrão que você não pode alcançar.

Todos nós precisamos de padrões e princípios, mas sempre suspeito das regras. Quando penso em princípios orientadores, lembro-me de como Jesus encarava a vida: "Ame os outros como você gostaria de ser amado. Ame como eu o amo". Quando penso em regras, lembro-me da abordagem dos fariseus. Você sabe, aquelas pessoas de nariz empinado e com uma postura de superioridade que você encontra na Bíblia, que estavam sempre dizendo o que os outros, e não elas, deveriam fazer: "Você deve fazer isso" e "Você não deve fazer aquilo".

Dou parabéns aos pais que querem criar filhos respeitosos e de boas maneiras.[2] Mas há um número muito grande de pessoas em lares chamados cristãos que imitam os fariseus mais do que imitam Jesus. Umas das coisas principais em ser pai é temperar suas boas intenções com graça. As mães, em especial, apresentam a tendência de manter um arquivo de todas as falhas.

A lei do lar sempre deveria ser: "Estou tratando os membros de minha família como quero ser tratado?".

Isso é suficiente.

Mãe disciplinadora

A primeira marca de uma mãe disciplinadora é que ela não faz por seus filhos aquilo que eles podem fazer sozinhos. Não estou sugerindo que a mãe deva se recusar a servir um copo de leite a seu filho quando ele lhe pedir. Mas você já foi a alguma feira de ciências e percebeu que ali existem apenas um ou dois projetos que de fato foram realizados pelas crianças, e não por seus pais? Alguns pais ficam tão preocupados em criar a *impressão* de que seus filhos são os melhores que os ensinam falsear e mostram algo que as crianças sabem que não fizeram.

Se essa criança continuar falsear, ela será apenas promessa, e não desempenho, no trabalho. Ele terá a aparência de um marido dedicado, mas talvez seja completamente diferente em pensamentos e ações.

Se a mãe de seu marido se recusava a participar da disciplina, entregando-a ao marido, existem grandes chances de que seu cônjuge não leve você muito a sério. A criança deve desenvolver respeito desde cedo, e a mãe sábia usará o valor do choque para fazer-se entender.

Se, por exemplo, um filho diz algo bastante perturbador — como: "Eu te odeio!", ou a xinga —, a mãe disciplinadora não vai se desesperar. Pelo contrário, manterá sua compostura. Mas quando aquela criança lembrá-la, mais tarde, de que precisa de uma carona para o treino de basquete, ela dirá calmamente:

— Sinto muito, Billy, mas você não vai ao treino.

Billy fica perplexo.

— Como assim, não vou ao treino? Falamos sobre isso hoje de manhã!

— É verdade, falamos — responderá ela. — Mas isso foi antes de você falar comigo de modo desrespeitoso, algo de que não gostei.

A espera pelo momento certo criará um choque que abrirá os olhos do menino. Trocado, pronto para sair, ele nunca se esquecerá dessa lição. Se a mãe de seu marido cedia às exigências, porém, ele poderá tratar seus pedidos como irritações, em vez de algo que deveria levar a sério. Talvez essa seja a hora de ele experimentar algumas das consequências de suas ações.

Mãe agitadora

Sua sogra mantinha seu marido sempre ocupado?

Recebo cada dia mais homens em meu gabinete de aconselhamento que não fazem ideia do que seja uma família que se socializa. Muitos deles jamais desfrutaram uma refeição tranquila e demorada com seus pais. Em vez de tirar férias com seus irmãos, eles normalmente iam sozinhos para algum campo esportivo.

O ritmo que algumas famílias se impõem é frenético. Conversei com pais cujos filhos começaram a dar cambalhotas e a fazer ginástica aos três ou quatro anos, futebol aos cinco, basquete aos seis e caratê aos sete. Aos oito anos, praticavam todos esses esportes ao mesmo tempo, no mesmo ano letivo. Conheço um menino de dez anos de idade — filho único — cuja mãe permitiu que ele jogasse em três times de basquete diferentes na mesma temporada. Essa postura é uma maluquice completa.

Se a agenda da infância de seu marido incluía escoteiros às segundas, treino de basquete às terças e quintas, fanfarra às quartas, jogos de basquete às sextas e sábados e reunião de jovens aos domingos, é bem provável que ele não tivesse chance de realmente criar vínculos com sua família.

O resultado disso é que, quando se casar, ele poderá ter uma visão radicalmente diferente do que é uma família e do que ela faz, talvez completamente distinta da imagem que você tanto preza da intimidade familiar.

Não é surpresa que ele possa se irritar quando você disser: "Querido, nós não o vemos mais. Será que poderíamos reservar pelo menos duas noites por semana nas quais pudéssemos jantar juntos como família? Todos nós?".

Pelo fato de, quando criança, ele não terse deparado com esse quadro, você precisará de bastante jogo de cintura para "reeducá-lo" — com bondade e amor, é claro.

O mais importante é lembrar que você não se casou com uma "lousa limpa". Seu homem foi moldado, formado e modelado por outra mulher. E essa outra mulher — a mãe dele — fez toda a diferença na definição de quem seu marido é hoje e em como ele se relaciona com você e seus filhos, caso os tenham.

Mas será que você está presa a esses comportamentos? É claro que não! Você, aquela que ele mais ama e em quem mais confia, pode fazer toda a diferença na vida de seu marido neste exato momento e no futuro por seu esforço em entendê-lo, aceitá-lo e elogiá-lo. Encontre algumas ideias iniciais na seção *Conversa de homem*.

Vive la différence!

Um dos grandes desafios do casamento é aprender a entender alguém que é muito diferente de você (e não estou falando apenas dos encanamentos interno e externo).

Na nobre luta atual para se respeitar mais as mulheres, jogamos fora o bom senso junto com o preconceito. Está claro que homens e mulheres são de igual valor social. Os homens não são mais dignos que as mulheres. Deus não ama mais os homens do que as mulheres nem as mulheres mais do que os homens. Mas a sociedade foi longe demais quando pegou essa ideia de igualdade e chegou a uma conclusão ridícula: homens e mulheres são iguais. Essa é a mensagem que a sociedade de hoje — incluindo anúncios e filmes — tenta nos empurrar.

Mas homens e mulheres *não* são iguais. O cérebro de um homem é diferente do cérebro de uma mulher. Você sabia, por exemplo, que a parte do cérebro que controla as habilidades visuais e espaciais, bem como o conceito de espaço mental — habilidades necessárias para campos como matemática e arquitetura — é cerca de 6% maior nos homens do que nas mulheres?[3] O cérebro dos homens é maior, mas o cérebro das mulheres contém mais células cerebrais.[4]

O coração das mulheres bate mais rápido que o dos homens. Quando homens e mulheres desempenham tarefas idênticas, áreas diferentes do cérebro de cada um são ativadas.[5]

Não é surpresa alguma que, de vez em quando, um homem ache que a mulher é um mistério e que uma mulher ache que o homem é um mistério. Somos realmente diferentes.

Mas eu digo: "Graças a Deus, somos diferentes!".

E, como o Senhor Deus disse depois de ter criado Adão: "Não é bom que o homem esteja só; farei para ele alguém que o auxilie e lhe corresponda".[6]

Então, ele criou Eva.

Posso imaginar Adão acordando diante daquela linda criatura ao seu lado e seu queixo caindo diante de tamanha surpresa. Ele provavelmente disse algo bem espiritual, como: "Pelas barbas do profeta!".

Os especialistas dizem:

> A palavra *auxiliadora* [na RA, em português] pode significar mais precisamente uma *força* ou um *poder*, e, nesse aspecto, as mulheres são comparáveis aos homens. Portanto, Deus criou a mulher para o homem como sua igual e sua correspondente, sua parceira na vida. Ela foi tirada de *uma das costelas* de Adão, provavelmente para mostrar alguma interdependência. Ela era dependente do homem; os homens dependem de uma mulher para dá-los à luz. Alguns observam que a língua mais antiga da Mesopotâmia, a dos sumérios, tem uma palavra para *costela* que também significa *vida*.[7]

Desde o início, Deus planejou que os homens fossem homens... e as mulheres fossem mulheres. Desse modo, vemos a vida de ângulos completamente diferentes. Uma vez que você, mulher, nunca foi um menino, não é surpresa que não pense nem aja como tal. E, assim como seu homem nunca foi uma menina, não é surpresa que ele não pense nem aja como tal.

Essas diferenças, porém, quando consideradas juntas, em vez de vistas como uma concorrência, podem levar a uma parceria mais satisfatória e excitante.

Uma parceria na qual meninos podem ser meninos e meninas podem ser meninas.

Mesmo quando ambos não crescem de verdade.

* * *

"CONVERSA DE HOMEM"

A maneira de conquistar o coração do seu homem

1. Por meio de suas palavras e ações, elimine de seu casamento a competição. Concentre-se na parceria, ainda que precise esforçar-se para fazê-lo.
2. Deixe-o conquistar. Ainda que você não tenha certeza de que ele tem condições de realizar uma tarefa em particular, deixe-o tentar.
3. Não sinta nem aja com desprezo quando ele regredir àquele menino pequeno que foi um dia. Lembre-se: você ainda é a menina que foi um dia.
4. Tente mostrar entusiasmo pelas coisas que são importantes para ele, mas que significam pouca coisa para você.
5. Lembre-se de que você é aquela com quem ele mais se importa. Aquela que ele se esforçou para ganhar.

Do que seu homem precisa?

Nós, homens, somos realmente simples. Não é preciso pensar muito para descobrir o que nos faz bater as barbatanas e mostrar-lhe lealdade como uma foca no Sea World. Se você entender nossas necessidades e nos jogar alguns peixes de vez em quando, ficaremos satisfeitos.

Ele precisa ser tratado como bebê de vez em quando

Quando seu homem fica gripado ou resfriado, o mundo inteiro para. Ele precisa de suco de laranja a cada quinze minutos. Precisa de que você lhe traga o controle remoto, pois está cansado demais para sair da poltrona. Ele precisa de que você faça canja de galinha caseira — ainda que você nunca tenha feito isso na vida e não faça a menor ideia de como prepará-la. Ele precisa que você traga o caldo da canja num copo, com canudinho, e o segure amorosamente enquanto ele bebe aos poucos.

Compare isso com o que acontece quando você pega uma gripe ou um resfriado. Você se arrasta até o banheiro, toma um comprimido e, vinte minutos depois, segue fazendo as coisas de casa como sempre, realizando todas as tarefas de sua grande lista diária:

- Vestir-se.
- Preparar o café do maridão e das crianças.
- Preparar o almoço do maridão e das crianças.
- Escrever bilhetes amorosos para o maridão e as crianças.
- Arrumar a mochila das crianças.
- Verificar a combinação de cores da roupa do marido. Mandá-lo de volta para o quarto, caso seja necessário mudar de roupa.
- Beijar o marido enquanto ele sai de casa.
- Colocar as crianças no carro na hora certa e dar carona para outras crianças.
- Deixar as crianças na escola e correr para o trabalho para a primeira reunião do dia.

O único momento em que você se detém para pensar que está doente é quando precisa tomar o outro comprimido e, nesse momento, você precisa de algo mais forte.

Por que os homens parecem bebês quando ficam doentes? Porque voltamos a ser aquele menino pequeno que precisa que alguém lhe dê atenção e cuidado. Por mais irritante que isso possa parecer, na nossa cabeça você deixa de ser esposa e se transforma na mamãe. Você está cuidando do menino que precisa *saber* que é amado ao ver o amor em ação. Ele precisa saber que é uma prioridade e que tudo o mais é secundário (leia mais sobre isso no capítulo 4). Isso pode significar colocar sua vida e outras prioridades temporariamente em compasso de espera.

Ele precisa que você pare de competir e o deixe vencer de vez em quando

Por mais irritante que possa ser, especialmente para a mulher de temperamento tipo A e altamente motivada, há momentos em que você precisa sair do jogo da competição e simplesmente deixar que seu homem vença. Sim, somos parceiros e colaboradores. Sim, você tem cérebro. Sim, você pode saber como realizar melhor uma tarefa.

Mas considere isto: por causa da natureza competitiva do homem, se você *sempre* competir com ele, estabelecerá um círculo vicioso. E seu homem provavelmente não vai desistir.

Veja, por exemplo, o seguinte cenário.

Seu marido faz alguma besteira, e você fica muito brava. Mas você sabe que ele não vai lhe dar ouvidos porque nunca dá e, assim, planeja seus próximos passos.

Com o objetivo de mostrar-lhe quanto está irritada, você decide deixar a carne assada que ele tanto ama um pouco mais tempo no fogo (tudo bem, uma hora a mais no fogo) do que o normal. Por que escolher carne assada como seu símbolo de competição? Porque você sabe que uma boa carne assada, feita do jeito certo, é muito importante para ele.

Então, o que ele faz? Sai de casa pisando duro e vai comer um filé com um amigo. Quando chega em casa tarde da noite, entende que tem o direito de ignorar você, uma vez que você foi passiva-agressiva com ele.

Deixe-me perguntar: esse ciclo realmente vale a pena?

Você já assistiu ao filme *A guerra dos Roses*, no qual Michael Douglas e Kathleen Turner fazem o papel de um casal que faz um jogo de competição tão intenso que terminam com corações e vidas partidas?

Por que não sair do jogo de vez em quando?

Ele precisa que você o deixe ser menino

Faça um favor a si mesma e aprenda a rir. Os machos fazem coisas idiotas. Sempre fizemos e sempre faremos. Nada mudou desde o princípio dos tempos.

Mesmo aos 47 anos de idade, ainda fazemos campeonatos de flexões.

Decidimos que vamos construir um gazebo e estamos convencidos de que podemos fazê-lo num fim de semana.

Insistimos teimosamente em que podemos fazer as coisas sozinhos e que não precisamos da ajuda de ninguém. Como o camarada que passou três semanas agonizantes transcrevendo relatórios de seus nove empregados... em vez de pedir ajuda à esposa, secretária experiente.

Faremos barulhos que você preferiria não ouvir... e ainda mais alto quando outros meninos estiverem por perto.

Vamos rir alto demais.

Envergonharemos você ao usar camisa xadrez com gravata listrada.

Mas quantas dessas "pequenas coisas" são realmente importantes na longa jornada? Afinal de contas, aguentamos você durante aquela época encantadora do mês quando sua personalidade está longe de ser cativante.

Quando ele estiver agindo como menino, por que não refletir sobre o que a fez sentir-se atraída por ele? Faça uma lista de todas as boas qualidades dele. Cole a lista no espelho para que ele possa ver. Talvez ele não diga nada sobre a lista, mas você verá o peito dele se enchendo de orgulho por você estar feliz com ele.

Uma das coisas principais da lista da minha esposa era um homem com senso de humor. Ela certamente sabia do que estava falando!

Seu menino crescido e a sequência de nascimento

Por mais simplista que possa parecer, estou convencido de que é possível saber muitas coisas sobre uma pessoa pelo lugar que ela ocupa na sequência de nascimento dos filhos.[8] Conforme tenta entender seu homem — antecipar suas necessidades, satisfazer seus desejos —, é importante saber como ele foi criado. Faz uma enorme diferença saber se seu homem foi o líder da tropa ou o bebê da família. E ajuda muito conhecer e entender a si mesma também! Tudo começa lá atrás, na família de seu marido, quando ele era menino.

Mais velhos

Os primogênitos ou filhos únicos são empreendedores ou extremamente empreendedores e em geral são estudiosos. Por serem os primeiros, estão numa posição precária porque há muita pressão sobre eles, mas muitos lidam muito bem com essa pressão e fazem coisas maravilhosas. Os filhos únicos possuem padrões ainda mais elevados para si mesmos do que os primogênitos.

Dos 23 astronautas norte-americanos enviados ao espaço, por exemplo, 21 eram primogênitos. Os outros dois eram filhos únicos. Contadores, engenheiros, programadores de computador, arquitetos, médicos e advogados normalmente são os filhos mais velhos. Qual você acha que é a ordem de nascimento da Rainha Oprah? Ou do apresentador Phil Donahue? Ou Dirty Harry, ou melhor, Clint Eastwood? O único humorista com doutorado que conheço, Bill Cosby, é primogênito. Acho que, na verdade, deveríamos chamá-lo de William. Todos os filhos dele têm nomes que começam com a letra E, de modo que possam se lembrar de excelência. George Bush, Bill Clinton e diversos presidentes norte-americanos e líderes municipais são primogênitos — líderes naturais.

Isso não é surpresa, porque o filho mais velho é não apenas empreendedor, mas ordeiro, disciplinado e organizado. Uma vez que os pais do primogênito são novos no negócio de criar filhos, eles tendem a exagerar com esse filho. Toda fralda suja é motivo de alarme, e todo passo é motivo de alegria. Como os pais estão aprendendo, a tendência é serem contraditórios em seu comportamento. Tentam uma coisa e, se aquilo não funcionar, tentam outra coisa. Como resultado, o primogênito pode tornar-se medroso e apreensivo porque não sabe de fato qual é seu lugar.

Todavia, também estão numa posição invejável, porque têm o pai e a mãe apenas para eles durante um tempo. Recebem bastante atenção logo no início da vida. É por isso que os primogênitos normalmente são bastante conscientes dos valores dos adultos e sentem-se mais confortáveis lidando com adultos. Tendem a ser dependentes da família — o que significa que eles defenderão os valores familiares e que a aprovação da família é importante para eles.

O primogênito é empreendedor, confiável, consciente, cauteloso e conservador. É bem provável que seja um trabalhador esforçado, um bom provedor e alguém que se preocupa em verificar se todas as necessidades da família são atendidas. É bem possível que ele também seja perfeccionista e competitivo por natureza. Isso o ajudará a progredir na carreira e a sustentar bem sua família. Mas ele também pode ver seu casamento como uma competição, em vez de enxergá-lo como uma parceria. Quando falha numa tarefa, pode ser muito severo consigo mesmo.

O que você pode fazer se seu marido for primogênito ou filho único?

- Diga-lhe que você não tem interesse em competir com ele.
- Deixe claro para ele que você valoriza suas realizações.
- Incentive-o em seu esforço para ser bem-sucedido.
- Mostre por meio de palavras e ações que você vê o relacionamento de vocês como uma parceria, não como uma competição.
- Deixe que o menino interior dele brilhe na frente dos outros, uma vez que isso é importante para ele.
- Incentive-o quando ele fracassar — e dê-lhe outra chance.

Se você mesma é primogênita, controle seus desejos por competição. Deixe que seu marido "seja homem" e assuma a liderança de vez em quando. Quando seu próprio perfeccionismo aparecer, assuma a visão de longo prazo.

Filhos do meio

Os filhos do meio são os que estão literalmente "espremidos no meio". O primogênito já pavimentou o caminho com os pais; agora, o filho do meio entra na família e tem um modelo a seguir, bem como um colega de brincadeiras imediato. Por estarem no meio, tornam-se excelentes pacificadores e negociadores. Fazem amigos com facilidade e são leais. São os filhos com o menor álbum de fotografias.

Em geral, os filhos do meio são os parceiros conjugais mais fiéis. Não deixam que o estresse os abata, mas atacam o problema com empenho para que seja solucionado. Não deixam que o conflito permaneça por muito tempo na família sem falar ou tentar resolvê-lo. Estando no meio, possuem muita experiência em estabelecer concessões mútuas.

Porém, pelo fato de o filho do meio ser muito condescendente, pode hesitar em lhe dizer o que realmente pensa, ainda que você pergunte. Ele pode dizer: "Ah, isso não é nada", quando, de fato, a questão é imensamente importante. Se você está casada com um filho do meio, é preciso ficar atenta para não ferir os sentimentos dele. Pelo fato de ser suscetível à pressão do grupo (o que os outros vão pensar dele), ele tende a fazer coisas que tornem você e os outros felizes.

O que você pode fazer se seu marido for filho do meio?

- Dê-lhe indicações de que você de fato quer ouvir o que ele pensa... que valoriza a visão que ele tem.
- Cuidado para não julgar a opinião dele quando ele finalmente lhe disser o que realmente acha.
- Deixe claro que ele não precisa fazer algo que não quer fazer (ou comprar algo que não deseja comprar) simplesmente porque outra pessoa o está fazendo.

Se você é uma filha do meio, esteja ciente de que seu ponto de vista é tão importante quanto o de qualquer outra pessoa. Arrisque-se a falar, de modo que aqueles que a amam não precisem brincar de "adivinhe o que ela está pensando".

Caçulas

Os caçulas são os eternos exibicionistas.

O último filho é o que tem a menor probabilidade de apanhar ou ser disciplinado pelos pais. A tendência é ele ficar impune e sair rindo pela vida (sou um bom exemplo dessa situação). Ele não é a pessoa mais responsável ou confiável do mundo. Gosta de conseguir que os outros façam as coisas para ele ao dar a impressão de ser incapaz ou encantador, e é muito bom nisso (já teve muita experiência nisso como o bebê da família).

Pelo fato de o caçula ser o mais novo e o menor, todos o ajudam, quer ele precise quer não. Assim, ele costuma se casar achando que a vida será alegre e fácil, e que não há consequências para suas ações. Afinal de contas, seus pais sempre pegaram leve com ele porque, francamente, eles estavam exauridos depois de criar os outros filhos! O caçula costumar querer as coisas do seu jeito, não gosta de nada desconfortável, não é muito disciplinado e não se importa com realizações. Mas é encantador, feliz, espontâneo e gosta de brincadeiras. E adora ser o centro das atenções.

O que você pode fazer se seu marido for caçula?

- Talvez você precise usar de persuasão para incentivá-lo a ajudar na administração da casa e a assumir a responsabilidade pelas coisas que diz que vai fazer.
- Fique gentilmente de olho em seus impulsos (como gastar demais com um brinquedo novo). Você precisará ser aquela que vai perguntar: "Nós realmente temos condição de comprar isso agora?". Depois, você precisará provar-lhe que não têm.
- Fale sobre as consequências de uma ação em particular antes que seu cônjuge saia fazendo aquilo.

Se você mesma é caçula, perceba que a coisa mais importante a fazer é pensar e avaliar antes de fazer algo que normalmente faria de modo espontâneo. Um pouco de disciplina e um plano de ação não vão machucar!

Sua sogra foi...

Uma mãe sufocadora?

- Ela tinha medo que o seu menino se machucasse?
- Arrumava desculpas para ele? Torcia a verdade para proteger a reputação dele?
- Ela lhe dava espaço para errar — ou ele precisava ser perfeito?

Uma mãe disciplinadora?

- Ela não fazia por ele nada que ele pudesse fazer sozinho?
- Ela criou uma imagem real de quem ele era?
- Ela o disciplinava quando era preciso ou dizia: "Espere até seu pai chegar em casa!"?

Combatendo "a outra mulher"

A outra mulher — a mãe de seu marido — veio para ficar. Independentemente da visão que você tenha dela, o fato é que ela influenciou seu marido grandemente. Se entender como isso aconteceu, então entenderá seu homem ainda melhor.

A mãe sufocadora

Se, quando pequeno, seu marido precisava alcançar um padrão inalcançável estabelecido pela mãe dele, ele reagirá de modo até certo ponto explosivo às suas correções. Você pode achar que é coisa corriqueira dizer que o espelho que ele instalou está um pouco torto, mas como ele vai entender isso?

"Você estragou tudo! Você é um completo fracasso! Será que não consegue fazer nada direito?"

Sei que você não quer passar essa impressão, mas é isso que seu marido escuta por causa da criação que teve. Você é mulher, e, nesse momento, suas palavras estão soando dolorosamente iguais às da mãe dele, que lhe passou reprimendas durante muitos anos. Não é surpresa que ele lhe dê as costas, faça biquinho, franza a sobrancelha ou lhe dê o tratamento do silêncio.

Na mente de um homem, não há graduação de sucesso — apenas vitória ou derrota. Mas veja a seguir duas excelentes maneiras de pedir algumas melhorias pessoais a seu homem sem ligar os sensores dele relacionados ao valor pessoal com base no desempenho. Essas coisas não vão acontecer da noite para o dia, mas valerão a pena.

1. Elogie não apenas aquilo que seu marido faz, mas quem ele é — bem na cara dele! Mostre-lhe que você aprecia as qualidades de caráter que a mãe dele pode ter deixado de perceber e que, a despeito de algumas deficiências, você está feliz com o que "pescou". Você precisará ser constante e persistente, pois está trabalhando para superar dezoito anos ou mais de treinamento negativo.
2. Adicione um pouco de açúcar às suas correções. Você poderia dizer, por exemplo: "Isso é maravilhoso, querido. Você colocou o espelho exatamente onde eu queria. Que bom que você fez isso. Mas será que ele não está um pouco torto? Você também viu isso ou é algo da minha cabeça?".

A mãe não disciplinadora

Se a mãe de seu marido simplesmente minava a disciplina dizendo coisas como: "Espere até seu pai chegar em casa", sempre que seu filho fazia alguma coisa mal-educada ou desrespeitosa, então você tem um desafio nas mãos. Seu marido pode tratar seus pedidos como coisas negociáveis, em vez de algo que deva levar a sério.

Quando você o lembrar de que ele precisa tirar algum dinheiro no caixa eletrônico depois do trabalho, caso vá ao cinema com os colegas, e ele retrucar com um irritado "sim, já sei", não limpe a barra dele quando chegar em casa sem o dinheiro — ainda que você tenha uma reserva secreta de emergência.

Se ele reclamar quanto a um atraso para se encontrar com os rapazes, não lhe dê folga. Não transforme em seu um problema que é dele. Não aceite a irresponsabilidade dele como sua responsabilidade.

Não telefone para remarcar compromissos dele. Se o compromisso é dele e ele não puder cumprir, é ele quem deve remarcá-lo.

Se ele se esquecer de trazer dinheiro para casa por duas semanas consecutivas, sirva-lhe um pão sem manteiga no café da manhã do dia seguinte. Quando ele disser: "Ué, cadê a manteiga?", você pode responder tranquilamente: "O leite acabou. Não pude ir ao mercado ontem porque temos pouco dinheiro. Se você trouxer dinheiro para casa, poderei ir ao mercado fazer compras amanhã enquanto você cuida das crianças".

Mantenha o tom de voz normal e não seja acusadora. Simplesmente declare os fatos que resultaram de falhas dele.

Pode ser necessário fazer isso algumas vezes, mas, depois de um tempo, ele entenderá que você não é a mãe dele e que não vai assumir a responsabilidade pelo que ele deixou de cumprir.

A mãe agitadora

Você consegue imaginar por que seu marido não consegue parar? Por que ele precisa estar sempre se mexendo, sempre trabalhando e até mesmo praticando algum esporte com empenho como se estivesse trabalhando? Deixe-me dar uma pista. Existem grandes chances de que a mãe dele o mantivesse ocupado, ocupado e ocupado. Embora esse estilo de vida também seja uma característica de muitas mulheres jovens, os pais normalmente forçam um pouco mais seus filhos homens e os deixam um pouco mais ocupados. Talvez seja porque, por baixo disso tudo, eles pensem que manter um menino ocupado faz que ele fique longe de encrencas.

Se seu marido nasceu com uma personalidade tipo A e foi programado para estar em constante agitação, serei honesto com você: você vai enfrentar uma batalha eterna para fazê-lo diminuir o ritmo. O que você de fato *pode* conseguir, porém, é diminuir seu ritmo aos poucos.

A responsabilidade sobre tal mudança de vida, porém, cairá sobre você, pois você é o elemento mais relacional da equação do casamento. E conseguir manter um lar saudável e feliz exige trabalho. Veja o que quero dizer.

No mês de dezembro de determinado ano, um editor veio nos visitar. Nosso filho, Kevin, estava em casa em razão das férias da universidade, e Krissy e seu marido, Dennis, também apareceram. Era uma grande e feliz reunião da família Leman. Depois de ver como nossos filhos eram próximos e gostavam de estar juntos, o editor me perguntou:

— Como se cria uma família como a sua?

— O que você quer dizer com isso? — perguntei.

— Como se constrói um lar no qual todos querem estar juntos?

— Tudo tem que ver com vínculos — respondi. — Os Leman nunca foram de participar de muitas atividades fora de casa. Se nossos filhos fossem a três lugares diferentes cinco ou seis noites por semana, jamais teríamos tido tempo de criar vínculos como família. Mas, uma vez que limitamos drasticamente as atividades externas, passávamos — e ainda passamos — muito tempo juntos, que é a razão de os membros de nossa família quererem estar juntos hoje. Nós realmente *gostamos* uns dos outros.

Quer você tenha filhos quer não, o princípio é o mesmo. Quantas noites por semana você passa realizando alguma atividade? Quantas noites estão reservadas para atividades fora de casa? Longe de seu homem e de outros membros da família?

Se seu marido cresceu junto a uma mãe agitadora, você precisa salvá-lo de si mesmo. Ele vai se desgastar (e você também!) se você deixar. Ele precisa que você coloque alguns freios, redirecione sua energia e o mantenha suficientemente focado, de modo que ele possa se concentrar nas coisas da vida que realmente importam.

Como o relacionamento de vocês.

Você não pode competir com a criação de uma mãe, mas pode trabalhar em torno dela.

Quando optar por fazer isso, posso lhe garantir uma coisa. Sim, você terá algumas dificuldades no curto prazo. Mas os resultados de longo prazo serão uma vida familiar mais feliz e mais saudável, bem como parceiros mais satisfeitos.

SEGREDO NÚMERO 3

Por que o lar de um homem não é de fato seu castelo e por que você tem vontade de transformá-lo numa amiga

É VERDADE. Minha sala de jantar é roxa, e não dou a mínima importância para isso. Quando digo "roxa", quero dizer realmente roxa. Até as paredes são roxas. De início, quando minha esposa me disse que ela seria roxa, levantei as sobrancelhas. Mas agora já me acostumei.

É uma sala simplesmente linda. Se você entrasse em minha sala, poderia dizer que minha esposa é uma daquelas mulheres que adora folhear revistas de decoração (ela tem uma pilha, ao lado da cama, que você não vai acreditar), porque reuniu uma série de ideias originais quando construímos nossa casa.

Você precisa passar por um arco para entrar em nossa sala de jantar, em formato de octógono. Ela tem piso de madeira de verdade (não daquele tipo que parece um sanduíche de lascas de madeira prensadas e pintadas) e uma janela panorâmica arqueada de quase três metros de largura que dá para o riacho que circunda toda a nossa casa.

A sala é maravilhosamente decorada no estilo "velharia chique" — como Sande o chama. A mesa, antiga, é de carvalho, com lindos padrões florais nas laterais. Neste exato momento, enquanto olho para a sala de jantar, vejo oito cadeiras ao redor da mesa (isso muda de um dia para o outro, dependendo do que nossos filhos estão fazendo e de quem está nos visitando), mas existem outras seis cadeiras na sala. Um lustre antigo, com uma grinalda feita por Sande, ornamenta o teto acima da mesa, junto com arandelas nas paredes. Há um total de 34 velas na sala (contei certa vez, por brincadeira). Duas cristaleiras com espelhos exibem os tesouros colecionados por Sande.

É o tipo de sala em que toda mulher entra, para, olha em volta, maravilhada e, então, diz: "Oh, isto é maravilhoso!".

Essa é minha esposa. Ela tem talento para fazer coisas lindas. Isso é coisa dela.

Mas, sabe, eu não me importaria se a sala fosse pintada de laranja. Se ela dissesse durante o jantar que iria pintar a porta da frente com uma combinação de roxo, rosa e vermelho, imitando um celeiro, eu poderia suspirar um pouco e dizer: "Lá vai ela de novo". Mas, para mim, não faria a menor diferença.

Meu pensamento em relação a uma porta resume-se a isto: "A porta vai manter a chuva e a neve do lado de fora? Então, ela é funcional".

No frigir dos ovos, a cor da minha sala de estar ou da porta da frente não é o mais importante para mim. Importo-me com o conforto da minha cama, o tamanho da banheira (e se ela tem hidromassagem para aliviar meu estresse no final de um dia difícil). Importo-me com meu carro, minha cadela Rosie e minha conta bancária. O que faço todos os dias é controlado pelo que chega em casa pelo aparelho de fax, enviado por Debbie, minha assistente. É ela quem me diz o que vou fazer hoje, amanhã e na semana que vem — quais são meus prazos e as entrevistas que preciso dar.

Assim, por que me vou importar com o fato de estar sentado numa sala de jantar roxa ou laranja?

Sabe, existe uma grande mentira circulando por aí. Ela diz com ousadia: "O lar de um homem é seu castelo".

Ah, não é, não. É da mulher. O homem simplesmente vive ali. Por que não chamar as coisas por seu verdadeiro nome?

Por que o lar de um homem não é seu castelo

1. O único lugar sobre o qual ele exerce domínio real é a garagem.
2. Por alguma razão, tudo o que comprou para casa sozinho termina sendo colocado na garagem.
3. Ele não passa muito tempo dentro do castelo porque tem medo de sentar-se nas cadeiras que estão ali "apenas para decoração".
4. Sua principal responsabilidade no castelo é cortar a grama e remover os "presentes" que o cachorro deixou por ali.
5. Ele nem sequer sabe qual é a cor "malva" e, ainda que soubesse, não faria a menor diferença, pois ele é daltônico.

Até Noé foi importunado...

Vivo nas colinas a oeste do estado de Nova York durante o verão. Um de meus divertimentos favoritos é ouvir John e Denny, dois talentosos DJs que dão vida às estações de rádio da rede Family Life por meio de suas vinhetas muito engraçadas, todas baseadas na Bíblia. Eles usam todo tipo de histórias bíblicas e as apresentam de maneira encantadora, mas uma em particular me chamou a atenção.

Eles falavam sobre Noé, o homem do Antigo Testamento que construiu uma arca. Ele fez isso porque Deus lhe disse que haveria um grande dilúvio que destruiria tudo na terra. Mas, como Noé era um homem justo, Deus quis dar-lhe uma chance de se salvar... e também sua família.

Pobre Noé. Trabalhou dia após dia na construção da arca. Foram tempos difíceis. Depois de arrastar, cortar e martelar toda aquela madeira, ele estava exausto. Os chatos de plantão pioravam ainda mais as coisas. Vinham todo dia e ficavam assistindo ao progresso da arca. Balançavam a cabeça, coçavam a barba e riam. "Endoidou!", diziam eles, apontando o dedo e fazendo o sinal de "negativo" com o polegar.

Certo dia, quando o paciente Noé já estava perdendo a paciência com os do contra, sua esposa apareceu no local onde ele construía a arca.

— Ei, você aí! — gritou ela da prancha de embarque. — Noé, que cor de cortina você acha que devemos colocar na arca? Será que deve ser azul para combinar com o oceano? Ou quem sabe amarelo, por causa do sol? O que você acha?

Ele quase nem se virou.

— Querida, a cor que você escolher estará ótima — foi tudo o que ele disse.

E continuou construindo sua arca.

Ela continuou a pressionar. Desta vez, caminhou (bem, não exatamente; ela *pisou forte no chão* é um termo mais apropriado) sobre a prancha de embarque. Sua silhueta bloqueou o sol, de modo que Noé não conseguia mais enxergar direito para trabalhar.

As mãos dela estavam colocadas na cintura, naquela posição que ele sabia indicar seriedade.

— Bem — disse ela — de que cor será a porta? Se eu não souber a cor que você vai colocar na porta, como vou poder combinar com as cortinas?

Tudo o que o pobre Noé disse foi:

— Querida, coloco a cor que você escolher.

Enquanto ouvia, quase saí da estrada de tanto rir. Lá estava o pobre Noé, tentando garantir que ele mesmo e sua família não se afogassem quando chegasse o dilúvio anunciado por Deus. E o que passava pela cabeça de sua esposa? Combinação de cores!

Entendo essa situação. Especialmente desde que eu e Sande construímos nossa casa, há alguns anos. Tendo Deus como meu juiz, afirmo que nunca olhei para as plantas de nossa casa depois que ela foi planejada. Quando Sande me perguntou o que eu queria, disse-lhe: "Quero uma banheira enorme e um quarto grande. Se você me der isso, ficarei feliz com qualquer outra coisa".

Sei que há homens que querem ser envolvidos na decoração de cada buraco e fenda da casa. De fato, conhecemos um casal assim. Ela é dona de casa e cuida dos quatro filhos, controla as finanças, contrata serviços por telefone e corta a grama. Ele é quem escolhe o papel de parede, cria lindos abajures com vidro decorado com bases que comprou em liquidações, e recentemente projetou um quarto para seu filho com a aparência de uma floresta. Mas isso faz sentido: ele é *designer* de interiores!

Para a maioria dos homens, porém, as cores das cortinas e da sala de jantar não são coisas muito importantes. Um homem disse à sua esposa: "Não me importo com a cor que você vai usar para pintar nosso quarto — contanto que não seja cor-de-rosa". Qual cor sua esposa escolheu, sendo ela aquele tipo de mulher que adora fru-frus? Tons de lilás e vinho. Seu homem ficou tranquilo com aquilo porque não era aquela cor que ele mais odeia no mundo — aquele tom de rosa do remédio Pepto Bismol. Será que nunca passou pela cabeça dele que lilás e vinho são tons de rosa?

Se Sande mudasse o tom de roxo das paredes de nossa sala de jantar ou as pintasse de uma cor completamente diferente, talvez levasse anos até que eu notasse, a não ser que ela me contasse durante o jantar. Contudo, perceberia imediatamente se ela movesse o controle remoto dez centímetros para a direita.

Posso declarar resumidamente qual é a postura do homem em relação à decoração?

"Se isso a deixa feliz, então nós dois ficaremos felizes."

A maioria de nós, homens, não faz a menor ideia do que seja uma roda das cores ou de como usá-la.

Contudo, vocês, mulheres, insistem em tentar nos envolver no processo de decoração. Dizem que querem nossa opinião sobre a aparência da casa. Mas vocês não nos enganam. Sabemos que já têm uma opinião formada.

Será que preciso repetir? Muitos casamentos estariam em melhores condições se você, mulher, percebesse que "se *você* está feliz, então eu ficarei feliz".

Neste exato momento, enquanto escrevo isto, Sande está ao telefone em nossa sala de jantar roxa. Está ligando para o pessoal da jardinagem para ver se eles podem plantar algumas flores e plantas em nossa casa.

Vejo que ela está com uma cara de censura; então, ela pergunta: "Bom, existe alguém por aí que entende mais de paisagismo?".

Aposto que o cara do outro lado da linha está dizendo: "Achei que a senhora queria simplesmente que plantássemos algumas flores e plantas. O que a senhora quer dizer com 'paisagismo'?".

Balanço a cabeça. Moramos em Tucson, um lugar seco e quente. Todo mundo sabe que nada cresce por aqui. A maioria das pessoas já desistiu. Mas não minha esposa. Todo ano Sande insiste em plantar alguns arbustos... e eles morrem em razão do calor excessivo que vai do final da primavera até o início do outono.

Para piorar as coisas, no inverno a temperatura em minha casa é cerca de cinco graus mais baixa em minha casa do que é um quilômetro mais acima na rua. Não são boas condições para manter flores ou plantas com aparência saudável.

Mas eis o que acho mais engraçado nisso tudo. Sande está pedindo um *paisagista*, apesar de os buracos já terem sido cavados. "Dessa forma", diz minha mente masculina, "o que há para projetar? Apenas traga as plantas vivas e jogue-as nos buracos. Isso é bem simples. Por que preciso de um paisagista para isso? Basta um cara com um carrinho de mão e alguns músculos!".

Contudo, sei que minha esposa vai prevalecer. Ela dará um jeito de encontrar um "paisagista" que a ajudará a combinar as cores de nossos arbustos. Quando ele chegar, ela estará lá fora, coordenando o processo de combinação de cores. Afinal de contas, por viver em minha casa, estou convencido de que ela tem mais habilidades de paisagismo no dedo mínimo de sua mão direita do que muitos paisagistas que fazem isso para viver.

Meu lado frugal (uma maneira agradável de dizer "Leman, seu pão-duro!") começou a reclamar. Percebo que todas aquelas folhagens, mais uma vez, ficarão bonitas por apenas alguns meses. Depois, vão secar e morrer. Assim como aconteceu no ano passado... e no ano anterior... e no ano antes daquele.

Mas, porque amo minha esposa, decidi não transformar esse montículo numa montanha.

Em resumo, reconheço alegremente os pontos fracos de minha esposa e vivo com eles, uma vez que eu também tenho os meus. Percebo que, para ela, deixar nossa casa bonita é uma prioridade. Portanto, embora essa não seja minha maior prioridade, estou feliz por ver que plantar arbustos todos os anos a deixa feliz.

"Se *você* está feliz, então *eu* estou feliz" é uma regra simples que se encaixa em mais ocasiões do que simplesmente na decoração da casa.

A doença de dar

Tanto eu quanto Sande somos doadores. Mas a maneira doamos é bastante diferente.

Em certo Natal, trabalhei vendendo árvores de natal naturais. Ficava olhando os casais e famílias inteiras escolher a sua e sair com a "árvore perfeita" a tiracolo. Então, chegaram um pai e seu filho pequeno. Andaram por toda parte, mas percebi que o menino de sete anos de idade sempre voltava para uma árvore em particular. Era a árvore mais cara à venda ali. Vi o olhar de desapontamento no rosto do pai enquanto puxava o filho mais uma vez e lhe dizia em espanhol: "Filho, não podemos comprar essa. É cara demais".

O menino estava determinado. Guardou seu lugar, ao lado da árvore, e contestou o pai, em inglês: "Quanto custa?".

Aproximei-me. "Olha, você está com sorte", disse eu, num tom alegre. "Essa árvore custa apenas um dólar. Estamos tentando vendê-la faz uma semana!"

Recebi o dinheiro do pai e, quando eles foram embora, paguei a diferença no caixa. "Afinal de contas, se você não puder fazer algo assim de vez em quando", pensei, "o que há de errado com você?"

Como Jesus disse: "Vocês receberam de graça; deem também de graça"[1] e "Deem, e lhes será dado: uma boa medida, calcada, sacudida e transbordante será dada a vocês. Pois a medida que usarem também será usada para medir vocês".[2]

Sande, minha esposa, porém, tem um quadro grave da doença de dar. O que meu coração foi tocado a fazer naquele episódio da árvore de natal não chega aos pés daquilo em que ela acredita. Sua vida inteira foi pautada pelo versículo que diz: "O justo dá e nada retém".[3]

Sande teve uma loja de objetos de arte antigos chamada Shabby Hattie. As pessoas adoravam aquela loja. O aroma do local era de lavanda, e os clientes podiam comprar lavanda por dose... como se fazia antigamente. Quando embrulhava um presente para alguém, fazia um pacote tão bonito que a pessoa não queria nem abrir. Todo pacote recebia uma dose de lavanda, papel ondulado e um laço em cima... tudo de graça. Qualquer pessoa que entrasse na loja recebia um presente — uma linda caneta prateada — quer comprasse alguma coisa quer não.

Certo dia, depois de ver várias daquelas canetas saindo pela porta com os consumidores enquanto esperava Sande, fui suficientemente corajoso para lhe perguntar:

— Querida, quanto custa cada uma dessas canetas?

— Ah, não é muito — disse ela e virou-se para colocar uma dose de lavanda no pacote que estava embrulhando.

Continuei perseguindo meu objetivo.

— Não muito *quanto*?

— Já lhe disse que não é muito — respondeu ela, com uma ponta de irritação.

Tudo bem, eu agora estava claramente *falando* como um homem, e Sande supôs — acertadamente — que eu estava me irritando com aquela forma de diálogo em particular.

Finalmente consegui arrancar dela a informação de que as canetas custam 15 dólares cada.

"Quinze dólares!?" Meu coração disparou.

Essa foi uma daquelas vezes em que pensei: "Será que você não poderia fazer uma pequena pausa na doação dos bens da família?".

Depois, houve aquele chá de bebê na igreja. Uma moça engravidou e não tinha marido. Desse modo, Sande comprou diversas roupas para o bebê e foi à reunião.

Quando voltou para casa, ela me disse:

— Leemie, eu ainda gostaria de dar algumas centenas de dólares àquela moça. Ela realmente precisa.

Mais uma vez, contive minha natureza frugal.

— Tudo bem, querida. Vá em frente — disse eu.

Por que não chutei o balde? Por que não lhe dei um sermão sobre como poderíamos usar aquele dinheiro para outra coisa? Por que lhe disse para ir em frente? Porque *minha esposa é assim*. Ela é uma daquelas raras pessoas no mundo que têm o dom de dar.

Sande também tem o maravilhoso dom de fazer que qualquer um se sinta como se fosse a pessoa mais importante do mundo. Gostaria de ter esse dom, mas não tenho. Ela é realmente única.

E, de todas as pessoas, sou a que mais se beneficia disso. Há uma razão para que Kevin, o bebê da família que fracassou em tantas coisas e que precisava se sentir importante, se casasse com uma mulher com qualidades e caráter como os de Sande. Deus sabia exatamente do que eu precisava e enviou esse tesouro de mulher na minha direção.

Assim, quem sou eu para dizer, depois de todos esses anos de casados, que ela não pode doar aos outros da maneira que Deus a leva a fazê-lo? Que ela não pode doar um pouco, mas de modo abundante? Se não lhe desse permissão ou não a apoiasse, estaria impedindo-a de ser a mulher que Deus quer que ela seja.

Um pequeno segredo sobre as mulheres

Vou contar um pequeno segredo sobre as mulheres. Pessoas e relacionamentos são os itens que mais se destacam na avaliação de uma mulher. Tudo se resume às três necessidades básicas que você tem:

1. Afeição
2. Comunicação honesta e aberta
3. Compromisso com a família

Uma mulher se define como parte de uma família. Se a família não estiver funcionando, ela se sente um fracasso. Se sua casa é uma bagunça, ela se sente um fracasso. Se uma amiga está chateada com ela, ela se sente um fracasso. Se seu marido não a acompanha a um evento social, ela se sente incompleta porque ele não está vivenciando aquilo com ela.

Digamos que seu marido tem chegado tarde do trabalho por três noites seguidas. Qual é sua primeira reação? Em vez de dizer o que nós, homens, diríamos — "É, ele tem um projeto enorme nas mãos e precisa fazê-lo acontecer" —, qual é seu primeiro instinto? "Talvez ele esteja chateado comigo. O que fiz para que ele só venha para casa bem tarde?"

Digamos que você esteja numa daquelas semanas loucas, em que teve de fazer horas extras na sua loja de roupas de cama, um de seus filhos pegou caxumba e sua geladeira pifou. No fim dessa semana, você está em pé, com as mãos na cintura, analisando o desastre que se abateu sobre a cozinha, a sala de estar e a de jantar. O que os homens diriam diante desse quadro? "Tudo bem, está um pouco bagunçado, mas pense na semana que você teve. Quando é que você teve tempo de limpar isso?"

Qual é seu primeiro instinto? "Não acredito que deixei as coisas chegarem a esse ponto. Que bagunça! Não consigo dar conta de tudo! O que há de errado comigo? Como a Sue consegue, mesmo tendo quatro filhos e trabalhando fora? Eu só trabalho em meio período!"

Digamos que seu marido ficou resfriado pouco antes daquele jantar para arrecadação de fundos, de modo que não pode ir com você. O que ele diria? "Sinto muito, querida. Hora ruim para uma gripe, não é?" (Mas, por dentro, ele está pensando: "Aleluia! Se era para pegar gripe, não haveria melhor momento. Odeio esses jantares de levantamento de fundos".)

Qual é a sua reação? "Ah, querido, não acredito que você esteja tão doente! Devo ir ou você quer que fique em casa com você? Não será a mesma coisa sem você ao meu lado."

Um pequeno segredo sobre nós, homens

Vou contar um pequeno segredo sobre nós, homens. Coisas são os pontos que mais se destacam na avaliação de um homem. Tudo se resume às três necessidades básicas que ele tem:

1. Ser respeitado
2. Ser necessário
3. Ser satisfeito

Um homem se define *à parte dos relacionamentos* e se identifica com coisas. É por isso que os esportes são importantes para ele e por que a competição lhe é tão significativa. É por isso que você vê tantos homens dirigindo suas enormes picapes. (Lembre-se: para os homens, não apenas a coisa é importante, mas também o *tamanho* da coisa.) É por isso que ele pode facilmente dispensar um evento social e dizer: "Vá em frente, pode ir. Vou ficar na garagem jogando minigolfe".

Mas o que a maioria das mulheres pensa dessa resposta? "Ah, ele não está falando sério. Se conseguir fazer que ele vá, ele vai gostar." (Leia mais sobre esse fenômeno no capítulo 6.) Por que você reage dessa maneira? Porque as mulheres precisam de homens presentes para completar sua felicidade na experiência. Por outro lado, a maioria dos homens preferiria estar em qualquer outro lugar.

Ron reprogramou toda a sua viagem de trabalho para que pudesse estar em casa na noite de sexta-feira, quando sua esposa receberia alguns vizinhos para jantar. No final da noite, porém, estava aturdido, pensando qual era a necessidade de ele estar ali. Passou a noite inteira lavando louça e pensando: "Por que me importei em reprogramar minha viagem?". Contudo, no final da noite, sua esposa lhe disse: "Que bom que você esteve aqui". Ela nem sequer o viu, mas *sabia* que ele estava ali. Isso fez toda a diferença do mundo para ela. Aos olhos dela, o sucesso daquele jantar dependia de ele compartilhar ou não a experiência *com ela*.

Portanto, sejamos francos. Em razão das necessidades totalmente diferentes de uma mulher e de um homem, uma mulher se define em torno de um homem, mas um homem não se define em torno de uma mulher. Se você não entender essa diferença fundamental, seus sentimentos serão continuamente feridos. Se ele diz: "Não, obrigado" a um envolvimento social ou não aparece na hora para fazer algo com o que vocês haviam concordado, você pensará: "Ele não precisa de mim! Ele não me ama! Sou um fracasso como esposa!".

É como Todd, um homem que conhecemos, que retornara da lua de mel no dia anterior. Depois do trabalho, foi para casa e sentou-se para assistir à televisão. Uma hora depois, sua mãe apareceu, olhou-o com cara de reprovação e disse: "Ahn, você não deveria estar em casa — com a Melissa?".

Todd havia se esquecido de que estava casado e foi para sua "outra casa": a casa *de seus pais*. Quando entrou em seu apartamento de um quarto, o rosto dela estava molhado de lágrimas, o "primeiro jantar juntos", que ela preparara com todo o carinho, estava arruinado e ele teve de passar o resto da noite tentando compensar seu esquecimento.

— Você não me ama? — perguntou ela, soluçando.

— É claro que sim! — disse ele, abraçando-a.

— Então, como pôde se esquecer de vir para nossa casa?

Como ele poderia dizer que se havia esquecido porque era homem, porque tem uma mente monotarefa e ela não estava voltada na direção de sua adorável esposa depois de um dia de trabalho? Que ele fizera simplesmente o que lhe era natural? Que fez aquilo que se acostumou a fazer durante anos antes de se casar?

O que você não vai ouvir um homem dizer

"Sabe do que mais gosto em minha esposa? Ela é durona e consegue me dar um bom golpe de caratê."

O que você não vai ouvir uma mulher dizer

"Sabe do que mais gosto em meu marido? Ele é incrivelmente feminino."

Ele não é sua amiga

Pode ser muito chato lidar com alguém que seja muito diferente de você. Mas você se casou com um homem — ou com uma amiga?

Por mais estranho que isso possa parecer, muitas mulheres passam o casamento tentando transformar o marido numa amiga. O tipo de pessoa com quem você pode fazer compras, tomar café, jogar conversa fora, compartilhar todos os detalhes de seu dia, junto com as emoções que sentiu, assistir a filmes românticos e apresentações artísticas refinadas... a lista vai longe.

Contudo, por melhor que pareça no início, é realmente isso que você quer? Um homem "efeminado"? Um que vai dar risadinhas com você diante da última tendência da moda? Que vai suspirar diante daquela linda sandália branca com fivela de *strass*? Que simpatize com você *ad nauseam* sobre o que uma colega de trabalho disse e como isso feriu seus sentimentos?

Existem algumas coisas que meninas precisam compartilhar com meninas e que homens precisam compartilhar com homens. Não é porque você gosta de algo que precisa fazer aquilo com seu homem.

Eu, por exemplo, gosto de apenas alguns filmes. Assim, sempre digo a Sande: "Vá com sua amiga Teri e divirtam-se". Então, eu e meu amigo Cabeça de Lua nos esquecemos da vida fazendo algo de que gostamos. Como ir a corridas de carro e respirar aquela fumaça de escapamento. Algo que Sande *jamais* gostaria de fazer. Na verdade, ela ficaria horrorizada diante de toda aquela fumaça tóxica que estamos jogando para dentro de nosso corpo, além de ficar aturdida diante de todo aquele barulho. Isso não aparece no radar dela como uma forma de diversão.

Se você quiser ver um filme de mulher, reúna as amigas e vá ao cinema. Deixe os homens verem juntos o mais recente filme de ação das telas. Ou dê a seu marido o presente de ficar em casa.

A questão toda é deixar que cada um seja do jeito que Deus nos criou individualmente. O fato de vocês dois serem um, não significa que sua singularidade desapareceu. Não significa que vocês se mesclaram numa enfadonha unicidade, que nunca discordarão e que seus interesses se tornaram os interesses dele, e vice-versa. Minha Sande é uma conversadeira envolvente, uma doce esposa e uma adorável anfitriã. Mas ela tem suas idiossincrasias. Ela gosta de ter as costas coçadas em forma de S. Sua ideia de pouca bagagem para viajar é levar apenas *uma* mala só de sapatos.

Mas ela é a mulher que Deus me deu, e não a trocaria por nada. Mesmo com suas excentricidades, jamais iria querer que ela fosse como meu amigo Cabeça de Lua. Gosto *muito* de Cabeça de Lua, mas certamente não gostaria de estar casado com ele!

Gosto da surpresa — do mistério — do toque feminino. Todo homem gosta. Ainda que isso signifique ter uma sala de jantar roxa.

Mas você não me vai ver, como homem, abrindo mão de minhas coisas para manter aquela sala de jantar roxa nos trinques.

Então, existe Sande, a rainha do castelo. Certa noite, na semana passada, estiquei a mão para tocá-la na cama, e ela não estava ali. "Que estranho", pensei, enquanto saía da cama.

Espiei o relógio. Era 1h45. O que estava acontecendo? Onde estava minha adorável esposa?

Arrastei-me para fora da cama, prestando atenção em qualquer som, procurando uma luz acesa, e descobri sinais de atividade na sala de jantar. Encontrei-a ali, sentada numa cadeira, limpando meticulosamente o lustre e decorando-o com uma grinalda!

Como homem, gosto de ter uma casa bonita. Aprecio muito tudo o que Sande faz. Mas você *jamais* me verá em pé à 1h45 tirando pó e decorando um lustre... ou fazendo qualquer outra coisa que tenha relação com uma tarefa doméstica. Os únicos seres acordados em toda a vizinhança àquela hora eram os guaxinins e minha esposa.

É claro que existem diferenças entre homens e mulheres. Diferenças nas prioridades. Vejo isso todos os dias entre mim e Sande. Você as vê todos os dias entre você e seu homem.

Mas essas diferenças são o que fazem a vida como casal ser excitante, alegre e, bem, sim, às vezes imprevisível.

Adoro isso.

Ainda que minha casa não seja o *meu* castelo.

É dela, e é isso que a deixa feliz.

Na longa jornada, é o que também me deixa feliz.

* * *

"CONVERSA DE HOMEM"

Duas regras de ouro para que seu casamento mantenha o brilho

1. Deixe os meninos serem meninos.
2. Deixe as meninas serem meninas.

O QUE A LEVOU A achar seu homem fascinante assim que o conheceu? Foi o fato de que ele fazia tudo como você? Duvido. Mostre-me duas pessoas que sejam exatamente iguais, e, dentro de algumas horas, estarão vestindo suas armaduras, dando cabeçadas e rosnando um para o outro. Se vocês concordassem em tudo, teriam uma vida incrivelmente chata.

Em vez de deixar que suas diferenças criem tensão, desfrute-as. Ria delas. Deixe seu homem ser quem ele é. Seja quem você é. Desfrutem das diferenças entre homens e mulheres.

Certamente não sou o rei do bom gosto, mas sou capaz de dizer quando as pessoas investiram bastante tempo e esforço na decoração de um evento. Veja, por exemplo, o que as mulheres preparam para um encontro. Combinam as cores dos pratos, garfos e copos. Trazem toalhas de mesa especiais. Fazem centros de mesa. Colocam pequenas lembranças ao lado dos pratos. Então, para diversão extra, colocam um bilhete premiado debaixo da cadeira de alguém. Essa pessoa leva o centro de mesa para casa.

Contraste isso com um evento para homens. Pertenço a um grupo chamado "De homem para homem". Costumamos nos encontrar às seis horas e temos um momento "devocional", na falta de um termo melhor para homens. O pastor da minha igreja é quem lidera. Como nos preparamos para esse evento? Aparecemos, arrancamos um pedaço de papel pardo de algum rolo que estiver por perto, esticamos sobre uma mesa, jogamos um pacote com rosquinhas doces e pão no meio da mesa. Como centro de mesa, colocamos um tonel de manteiga de trinta centímetros de diâmetro com uma faca espetada no meio. Em dois segundos, não apenas destruímos a decoração, como acabamos com toda a comida também. O ambiente é maravilhoso.

Algumas coisas que você precisará deixar para lá...

Muitas das coisas que seu marido faz podem parecer completamente grosseiras, socialmente impróprias, tolas, desperdício de tempo e dinheiro ou sem propósito. Mas, se você o ama e se aquilo é importante para ele, você pode optar por deixar essas coisas para lá.

Veja outro caso da minha esposa doadora.

Dois publicitários ligaram para mim e disseram que gostariam de conversar sobre meu último livro. Convidaram-me para um jantar e pediram que Sande fosse comigo.

"Ótimo!", pensei. "Adoro jantares gratuitos."

Não é o caso de Sande. "Vou preparar o jantar aqui em casa", insistiu ela.

"Por quê?", pensei. "Se eles vierem jantar aqui, você terá um trabalho enorme. Não é preciso. Eles estão dispostos a nos levar para jantar fora. Qual é o problema? Por que não tirar uma folga?"

Mas não digo coisas assim em voz alta para minha mulher. Eu sei das coisas.

Ela trabalhou o dia inteiro para preparar um jantar especial. E o *menu* foi um dos meus favoritos: lombo suíno.

Enquanto acompanhávamos os dois publicitários até a porta no final daquela noite, de repente algo me passou pela mente. "Eles não receberam 'o presente'! O que aconteceu?"

Então, assim que chegamos ao portão da rua, Sande diz: "Espere um pouco. Esqueci uma coisa". Corre para dentro de casa e, um minuto depois, sai com dois pequenos pacotes cheios de tesouros feitos em casa... um para cada convidado.

Não pude deixar de rir por dentro. Essa é a minha Sande. Nenhuma noite na casa dos Leman é completa sem o ritual dos presentes.

Embora minha cabeça masculina diga: "Esse negócio de presentes é tão bobo... e tão caro!", percebo que, por amar e respeitar Sande, preciso concordar com isso. Preciso colaborar financeiramente. Mesmo quando não faz sentido para mim.

Quando você pensa em seu homem, que coisas ele faz que parecem desperdício de tempo, dinheiro ou propósito? Ele paga pães de queijo para os colegas da loja todas as manhãs de sábado? Ele reserva as noites de quinta-feira para apostar corrida de carros de controle remoto com um amigo no estacionamento vazio de uma loja?

Você já parou para pensar o que exatamente essas atividades estão realizando na psique de seu homem?

Pagar pães de queijo para os outros talvez seja a única coisa que ele pode fazer dentro do orçamento da família que o faz sentir-se bem quanto a "suprir" seus amigos. Pode até fazer que ele se sinta um herói.

Disputar corridas de carros de controle remoto pode ser o momento em que ele passa um tempo com um amigo que está enfrentando um divórcio e tem dificuldades com essa situação. Eles falam sobre divórcio o tempo todo? Não. Eles falam alguma coisa sobre divórcio? Ah, sim. Ainda que seja em períodos de trinta segundos. As noites de quinta-feira são o momento em que esses dois bons amigos estão numa conversa particular e podem correr o risco de abrir o coração... ainda que seja no meio de um evento radical.

Quando seu homem fizer coisas que a perturbam, como você deve reagir? Como você vai reagir agora, diante dessa nova informação?

Em que atividades seu amado está envolvido e que são boas para ele — ainda que às vezes perturbem você?

A falácia do "façam tudo juntos"

É comum que uma mulher, por ser uma pessoa relacional, tenha uma falácia firmemente cimentada em seu cérebro: "Já que me casei, devo fazer *tudo* junto com meu marido". E ela age de acordo com essa falácia todos os dias do relacionamento com o marido. Ele não faz a menor ideia daquilo que, para ela, tem o peso de uma norma do casamento. Nesse meio-tempo, ele está pensando em seu mundo, onde impera a lei do cão, e tentando fugir para o lugar no qual lhe é permitido ficar sozinho... o banheiro! Entende por que você e ele trombam de vez em quando?

O tempo juntos como casal deve ser uma prioridade da relação (de fato, leia mais sobre isso no próximo capítulo). Mas isso significa que vocês precisam fazer *tudo* juntos? É claro que não! Os meninos precisam do momento de menino; as meninas precisam do momento de menina.

Minha esposa adora fazer compras. Recentemente, ela e uma amiga conversavam sobre como seria maravilhoso fazer um passeio "de menina".

Ela me contou a conversa.

— O que vocês fariam nesse passeio? — perguntei.

— Bom — disse Sande, toda animada — faríamos compras, nos divertiríamos um pouco, iríamos almoçar, comprar algumas coisas mais, ir ao cinema, depois comprar...

Entendi a coisa toda. Amo minha esposa, mas abro mão de tudo isso. Compras não faz parte da minha lista, mas sei que é importante para minha esposa.

Assim, disse a ela:

— Vá se divertir!

Ela já está casada comigo há tempo suficiente para saber que terá um Leemie muito mais feliz em suas mãos quando chegar em casa na volta das compras se ela as fizer sozinha ou com uma amiga.

Para seu aniversário de sessenta anos, quis dar a Sande algo especial. Assim, eu a surpreendi dando-lhe de presente uma viagem a Paris e Londres por dez dias com uma amiga. "Vá, querida, e divirta-se. É meu presente para você!".

Garanti a ela que eu ficaria bem. Ficaria em casa e seria o sr. Mamãe.

Porém, quando a levava ao aeroporto, chorei (literalmente). Seria a primeira vez em 38 aos de casamento que Sande e eu teríamos férias separadas. Realmente senti falta dela enquanto esteve fora, mas também me senti bem em relação ao que havia feito. Foi um presente totalmente altruísta. Não havia nenhum propósito secundário, nenhuma intenção oculta. Realmente amo minha esposa e não estava tentando me livrar dela.

Ela se divertiu muito. Serão férias das quais ela sempre se lembrará com alegria. E eu me lembrarei delas porque fiz minha esposa feliz.

Da próxima vez que você se irritar com alguma coisa que seu homem quiser fazer:

1. Considere que atividade é. Andar de bicicleta com um grupo no sábado pela manhã? Plantar um jardim? Esquiar nas montanhas? Ter duas vezes por ano um fim de semana apenas com homens?
2. Faça uma lista das coisas que essa atividade vai proporcionar ao seu homem. Em que aspecto a confecção dessa lista muda sua perspectiva?
3. Em vez de ficar com ciúme porque não pode participar do evento ou triste porque vocês não podem fazer tudo juntos, apoie seu marido de todas as maneiras possíveis em seu esforço. O resultado será um maridão feliz e satisfeito.

A troca

Reserve algum tempo para refletir sobre as perguntas a seguir. Seria melhor ainda sair para tomar um café ou dar uma caminhada com seu homem e discuti-las juntos.

1. Que coisas vocês dois gostam de fazer juntos?

2. Que atividades cada um de vocês realiza separadamente?
3. Qual troca acontece entre vocês nessas atividades?
4. Quais talentos Deus deu a seu homem?
5. Quais talentos Deus deu a você?
6. De que maneira esses talentos complementam uns aos outros em seu relacionamento?

Por que não jogar o jogo da troca?

Sande adora o Festival de Músicas Natalinas de Tucson. Eu odeio.

É um programa de Natal que está catorze níveis acima do estilo "Jingle Bells" e similares. É música clássica de verdade. Em minha opinião, o programa e a cantoria duram uma eternidade. Adicione a isso o fato de que, num auditório, não me sinto confortável se não estiver numa cadeira do corredor, e às vezes os assentos do corredor não estão disponíveis. Acho que existem muitos caras que são arrastados para esse evento todo ano que também procuram os assentos do corredor na esperança de conseguirem sair rapidamente.

Todo ano, Sande compra ingressos para esse evento, e todo ano vou com ela. Sei que, para que ela realmente desfrute do evento, minha presença ali se faz necessária. Sabe, existe uma troca. Às vezes vou a eventos dos quais não gosto, mas que Sande aprecia, porque isso é importante para ela.

E Sande às vezes realiza atividades comigo das quais ela não gosta, mas vai porque são importantes para mim.

Jogos de futebol, por exemplo. Parte da minha diversão em ir aos jogos da Universidade do Arizona é ter Sande comigo. Normalmente vamos com nossos amigos Joe e Teri. Isso ajuda a abrandar uma situação que, de outro modo, seria mortalmente enfadonha para nossas esposas. (Certa vez, de verdade, Sande ficou tão cansada daquilo tudo que *deitou* na arquibancada durante o jogo. Saiba que ela mede 1,75m de altura! Mesmo assim, se estirou na arquibancada!) Para Sande e Teri, o jogo é um evento social, um festival de bate-papo, um momento para desfrutarem uma da outra. Para nós, homens, é um evento no qual não se conversa. De fato, Joe coloca fones de ouvido, eu coloco fones de ouvido e nos sentamos juntos.

Nossa conversa é mais ou menos assim:

— Ahh!

— Uuh!

— Mate-o!

— Pega!

— Pare aquele cara!

Então, um suspiro de desapontamento.

No intervalo, conversamos um pouco e, porque ignoramos nossas esposas durante metade de um jogo de futebol, nos transformamos em maridos corujas que perguntam educadamente o que cada uma gostaria de comer e beber. Marchamos escada acima e trazemos comidas sortidas para elas. Acho que elas sabem que foram enganadas, mas as duas nos suportam com coração alegre porque sabem quanto é importante para nós que elas estejam ali conosco, embora as ignoremos e nem sequer conversemos com elas.

O tempo juntos como casal deve ser uma prioridade em seu relacionamento, mas isso não significa que precisam vivenciá-lo da mesma maneira. Eu, por exemplo, adoro pescar. Gosto muito de estar com Sande. Assim, a combinação das duas coisas é o meu tipo de céu.

Para Sande, pescar comigo significa que ela pode se esticar num barco e ler revistas femininas sob o sol. "Querida, olhe só o que pesquei!", digo eu, todo feliz, enquanto ela me responde com um sonolento "uhn, hã-hã". Sei que ela não dá a mínima para o peixe, mas me dá as respostas verbais de que preciso.

O importante é que estamos juntos, mas desfrutamos da experiência de modo diferente, de uma maneira que satisfaz as necessidades de ambos.

Sempre rio e digo que é como o peixe-boi e a lesma. E é verdade. Certa vez, quando estávamos pescando, Sande adormeceu num daqueles botes infláveis e foi parar literalmente no mar. Precisei fazer sinais para o salva-vidas para que a resgatasse!

Qual é a moral da história? Vocês podem fazer coisas juntos como casal, mas não precisam fazer a mesma coisa. Sande pode ficar estirada ao sol lendo revistas enquanto eu pesco. Ainda estamos juntos no mesmo barco... a não ser, é claro, quando ela flutua até o mar!

O que vocês fazem juntos alegremente como casal — mas fazem de maneira diferente? De que modo isso satisfaz as necessidades de cada um?

SEGREDO NÚMERO 4

Seu homem está carente de atenção... de sua atenção?

Mac é vendedor e trabalha duro na indústria de ferramentaria há cerca de vinte anos. Todos os anos, há um jantar de premiação em janeiro, e todos os representantes de vendas se reúnem num mesmo local. Passam dois dias reunidos num hotel e, no terceiro dia, vão "brincar", com todas as despesas pagas. O melhor de tudo é que os melhores vendedores de cada região recebem prêmios.

Normalmente a empresa não gosta de que levem esposas nessas viagens porque elas não pagam, mas dessa vez a empresa incentivou Mac a trazer Ginny, sua esposa. Também lhe disseram que ele receberia o prêmio de melhor vendedor de sua região. Isso significava que ele era um dos quatro melhores vendedores do país. Ele conseguiu chegar bem longe desde que começara, quando se esforçava muito para fazer uma única venda.

Quando descobriu que a reunião daquele ano seria em Orlando e que a empresa reservara uma luxuosa suíte classe A cuja diária custava 625 dólares, Mac começou a fazer planos para surpreender a esposa.

No dia seguinte, telefonou para o hotel em Orlando e pediu que colocassem flores para Ginny no quarto. Saiu na hora do almoço para ir à loja de roupas favorita da esposa para lhe comprar um vestido que sabia que ela adoraria usar no jantar de premiação. E comprou uma camisola, assim como uma caixa de chocolates Godiva.

Estava conseguindo preparar não apenas um belo momento longe do trabalho, mas também umas férias do tipo "eu e você" com sua esposa. Ele tinha *planos*.

Pensou em tudo aquilo durante aquela semana e a seguinte, quando ele e Ginny foram para o aeroporto, bagagem a tiracolo, e embarcaram para Orlando. Ele ainda estava pensando naqueles planos, o que faria e em qual ordem, e esperando que o pessoal do hotel não se atrapalhasse com as flores, quando ele e a esposa abriram a porta da maravilhosa suíte.

Estava perfeito. As flores estavam ali, em todo o seu resplendor — todas vermelhas, como ele havia pedido. A cor favorita de sua esposa. "O plano está indo muito bem", pensou Mac.

Ele estava abrindo as malas para prosseguir ao próximo passo de seus planos quando o celular de sua esposa tocou.

— Ah, ótimo! Vocês já estão aqui! — exclamou ela. — Estamos na suíte 212. Podem subir.

"Aqui? Quem está aqui?", pensou Mac. "E por que estão subindo?"

Sem o conhecimento dele, Ginny telefonara para suas duas filhas, que estudavam numa universidade próxima, e tinham seu próprio apartamento. Ela lhes contou sobre a viagem à Flórida e convidou-as a ficarem com ela e Mac no hotel.

Isso é que é jogar um balde de água fria nos planos românticos de Mac! Depois de 21 anos de casamento, estressado com o trabalho e tendo de satisfazer as necessidades das filhas, estava ansioso para celebrar seu sucesso profissional com a esposa... sozinho. Era a primeira vez que conseguiria combinar negócios e diversão.

Como ele reagiu? Abraçou as meninas, mas, então, ficou calado e afastou-se emocionalmente da conversa. Ficou ouvindo por um tempo enquanto as três mulheres conversavam e riam. Depois, saiu do quarto, seguiu pelo corredor e ficou fora por duas horas.

— O que você tem? — Ginny quis saber quando Mac voltou para a suíte. — Por que você está tão zangado?

Ela não fazia ideia da razão de ele estar agindo daquela forma...

Mac queria desesperadamente que Ginny precisasse dele — *apenas* dele. Quando ela incluiu outros, os planos românticos do marido sofreram um curto-circuito. Primeiramente, ele ficou quieto, depois se afastou e, então, ficou passivo-agressivo. "Bem, se ela não precisa de mim, então não preciso ficar aqui."

Aquele não foi o passeio pelo qual ambos esperavam.

Sentou-se no muro e teve uma grande queda...

Nós, homens, não gostamos de admitir, mas somos tão frágeis em termos emocionais. Sabemos que devemos ser durões, de modo que tentamos parecer assim do lado de fora. Mas e do lado de dentro? Um pequeno empurrão nos faz cair do muro para nos quebrarmos em pedaços do outro lado. Especialmente um empurrão da mulher que mais amamos. Quando caímos do muro e quebramos, às vezes não conseguimos nos recompor.

No pensamento de um homem, tudo se resume a isto: Se você não precisa de mim, se os outros podem me substituir, por que estou batendo a cabeça contra a parede? Por que passar dez horas por dia no trabalho? Por que viajar tanto? Por que comer comida ruim? Por que dirigir por uma hora em cada sentido para ir e voltar do trabalho?

Lembra-se das três necessidades básicas de um homem? Ser respeitado, ser necessário e ser satisfeito? Se essas necessidades principais forem satisfeitas, não apenas ele será mais feliz, mas você também.

Os homens têm muito em comum com *cocker spaniels* e *golden retrievers*. Todos eles precisam de carinho. Quando você os acariciar, eles a recompensarão com lealdade pelo resto da vida. Seus olhos não se desviarão para mais ninguém. Virão correndo, felizes, para ficar ao seu lado assim que você chamar.

É por essa razão que, para o seu homem, você é mais importante que qualquer outra. Você é aquela que capturou o coração dele, aquela que ele escolheu amar para a vida toda.

É por isso que ele se machuca profundamente quando sua atenção é desviada dele e se concentra em outras coisas. Ele pensa: “Acho que não sou mais importante para ela”. Qual homem que respeita a si mesmo não se afastaria ao não se sentir respeitado, necessário ou satisfeito?

Como diz Provérbios 13:12, “a esperança que se retarda deixa o coração doente”. Ela cria vazio e amargura.

Ginny poderia ter lidado com aquela viagem de negócios de uma maneira que satisfizesse ambas as partes. Como queria desfrutar de alguns momentos com suas duas filhas, ela poderia ter dito a Mac: “Mal posso esperar para passar dois dias e duas noites inteiras somente com você. Também gostaria de ver as meninas, se for possível. Podemos ficar lá uma noite a mais e pedir que as meninas venham nos ver?”.

Depois de ter colocado seu plano em prática, Mac seria um cliente satisfeito. Como um macaco deitado numa cama de bananas. Sabe de uma coisa? Ele ficaria feliz em ver suas filhas na terceira noite!

Quando Holly e Krissy tinham quatro e dois anos, respectivamente, eu e Sande saímos de férias juntos por alguns dias apenas. Deixamos as crianças em boas mãos, com a avó. Ficava pensando o tempo todo: “Finalmente livres! Vamos para a

Califórnia, iremos à praia, teremos jantares agradáveis. Apenas nós dois".

Que momentos maravilhosos tivemos! No primeiro dia, não falei nada sobre as crianças. No dia seguinte, peguei-me conversando um pouco mais sobre elas. No terceiro dia, um domingo, quando precisávamos pegar o carro e voltar para casa, adivinhe só? Mal podia esperar para ver as crianças! Naquele momento, elas eram uma prioridade para mim porque já tivera momentos excelentes com minha esposa. Eu a tive apenas para mim durante um período.

Se quiser que seu marido ame seus filhos e não os considere concorrentes na disputa para obter seu tempo, você precisa reservar momentos exclusivos para vocês dois. Está chegando o dia quando seus filhos sairão de casa. Mas seu marido vai permanecer. Não perca seu lugar no coração dele.

É mentira dizer que apenas as mulheres precisam de intimidade. Seu homem está clamando (silenciosamente) por intimidade. Mas ele faz isso de uma maneira completamente diferente da sua.

A defesa masculina

Em vez de dizer-lhe verbalmente do que ele precisa, é mais provável que seu homem apresente um dos comportamentos a seguir quando se sentir desprezado:

1. Ficar quieto e afastar-se (o primeiro estágio de defesa de Mac).
2. Ficar mal-humorado.
3. Agir de modo passivo-agressivo (o segundo estágio de defesa de Mac).
4. Agir como uma criança de quatro anos de idade (como falamos no capítulo 2) e ter um ataque de raiva.

Kay e Seth se casaram quando ambos estavam na casa dos trinta anos. Os dois trabalhavam em tempo integral para a mesma empresa, de modo que iam juntos para o trabalho. Almoçavam juntos todos os dias e preparavam o jantar juntos. Tinham uma programação para as noites que funcionava como um relógio automático para eles, e era mais ou menos assim:

Segunda: ir à academia juntos.
Terça: ficar em casa.
Quarta: estudo bíblico com casais.
Quinta: convidar alguém para jantar em casa.
Sexta: em casa/aconchegar-se/cinema.
Sábado: preparar café da manhã, lavar roupa e limpar a casa pela manhã. À tarde, ter alguma diversão juntos, como um piquenique no parque, um concerto musical ou visitar o viveiro de plantas.
Domingo: igreja e dia de descanso, soneca.

Cinco anos depois, chegou Seth II, e a agenda de precisão suíça do casal foi pelos ares. Ambos concordaram que Kay deveria parar de trabalhar fora de casa e que teriam de apertar o orçamento.

Seth presumiu que, pelo fato de Kay não estar mais trabalhando, ela ainda teria tempo de fazer tudo o que fazia antes — escrever bilhetes carinhosos e colocá-los no lanche que ele levava para o trabalho, preparar biscoitos caseiros, e que suas noites seriam muito parecidas com as que tinham, exceto pelo fato de que uma terceira pessoa seria adicionada e ficaria no carrinho de bebê ao seu lado.

Seth tolerou o primeiro mês de sua agenda destruída. Presumiu que estavam num "período de transição" e que em pouco tempo Kay se ajeitaria com essa coisa de maternidade e poderia retomar as tarefas regulares.

Mas o mês seguinte mostrou-se idêntico. Seth chegava em casa, e Kay ainda não havia sequer começado a preparar o jantar. Ele era o tipo de homem que dizia “jantar pronto às dezoito horas”. Ficava quieto, afastava-se para trocar de roupa e então se arrastava para a cozinha para começar a preparar o jantar, enquanto Kay se sentava na cadeira de balanço e dava o peito ao bebê.

Dois meses se passaram. Os dois pais sabiam agora o significado do termo “privação de sono” e não achavam graça nenhuma. Seth Jr. tinha muitas cólicas. Kay passava as noites acalmando o bebê, de modo que nem sempre estava acordada quando Seth pai saía para trabalhar.

Seth começou a ficar mal-humorado. Agia como a parte prejudicada.

“O que há de errado com ele?” pensava Kay. “Será que ele não vê como estou cansada? Não enxerga o que faço o dia inteiro? Mal consigo levantar da cama de manhã. Toda minha energia é canalizada para o bebê neste momento. Ele não pode trocar a fralda nem se alimentar sozinho, certo?”

Outras duas semanas se passaram. Agora, Seth chegava em casa e ia para o quarto *batendo os pés* para trocar de roupa antes de se enfiar na cozinha para preparar o jantar. Sempre que tinha de preparar a comida, jogava os potes e talheres e batia as gavetas com força como se dissesse: “Olhe tudo o que estou fazendo por você!”.

Kay sabia que o fato de o jantar não estar pronto perturbava seu marido, mas ele também não era o tipo de pessoa que aceitava comer comida pronta. E abrir uma embalagem de comida pronta era praticamente tudo o que ela conseguia fazer em meio à exaustão e à ocupação de seu dia.

Certo dia, querendo que ele soubesse quanto ela o amava, Kay deixou de tirar sua tão necessária soneca para poder preparar um jantar de verdade. Ela imaginava como Seth se sentiria grato ao notar o cheiro de carne assada com cenouras e batatas saindo do forno quando chegasse em casa.

Infelizmente, no exato instante em que o carro de Seth parou na garagem, o bebê vomitou... em cima do vestido limpo que ela havia acabado de colocar e também em seu cabelo. Enquanto aquela substância viscosa escorria pelo seu rosto, a porta se abriu.

Seth olhou para ela e explodiu: "Qual é o seu problema? Não consegue nem sequer se limpar para me receber?".

Para dizer de maneira suave, Seth teve um ataque de raiva. Agiu como uma criança de quatro anos de idade. Tudo porque estava clamando pela atenção de sua esposa. Ele sabia o que era tê-la plenamente e, agora, sentia-se completamente privado dela. Não se sentia a pessoa mais feliz do mundo.

"Espere um pouco!", você deve estar pensando. "Que canalha! Que sem-vergonha! Minha vontade é dar-lhe uma surra. É muito cansativo ser mãe de primeira viagem. Será que ele não entende?"

Não, sinceramente, ele não entende. Ele não é mulher e não deu à luz uma criança. Não sabe como é cansativo atender as necessidades de uma criança indefesa a cada minuto do dia. Quando chegou em casa vindo do trabalho, o bebê estava acordado havia apenas uma hora. Quando o bebê acordou durante a noite, sua esposa cuidou dele. (Afinal, os homens não podem alimentar uma criança no peito.) Talvez Seth tenha acordado por um minuto, mas, logo depois, voltou a dormir.

Assim, quando entrava pela porta a cada dia, ele pensava: "Puxa, essa coisa de cuidar de filhos não é assim tão difícil. Portanto, qual é o problema dela? Como ela pode deixar de me dar atenção?".

Neste momento, você deve estar um pouco irritada com Seth, e tem razão. Seth é um pouco mais imaturo e egoísta que a média dos homens, mas todos nós temos os nossos momentos.

O que um homem está realmente dizendo quando age como um bebê

Por mais irritante que a espécie masculina possa ser, é importante tentar enxergar além de nosso comportamento e ver as indicações do que realmente estamos dizendo.

"Preciso que você me dê atenção... agora!"

Comportamentos como o de Seth parecem incrivelmente infantis para você, especialmente quando está correndo loucamente de um lado para o outro, tentando fazer tanta coisa... embora normalmente sua correria seja em favor de filhos que não podem fazer as coisas sozinhos.

Mas considere isto: a mulher é especialista em distração. Digamos que sua filha de dois anos de idade esteja brincando com algo impróprio. A mãe esperta vai distrair a criança. Pelo fato de esse método funcionar tão bem com crianças, ela é tentada a também usar a tática com seu marido.

Digamos que você acabou de pentear o cabelo, escovar os dentes e finalizar a maquiagem. Veste uma blusa de seda e, assim, está bem-arrumada para a reunião da comissão nesta manhã. Então, seu marido aparece e a abraça por trás. Os filhos não estão por perto (ou vocês não têm), e você percebe que ele está interessado em brincar um pouco.

"Agora não", você protesta. "Preciso sair. Vejo você à noite." E sai correndo pela porta, deixando para trás o amor da sua vida, frustrado, porque sua agenda tem coisas demais para um dia.

O que ele pensa? "Não há espaço para mim no mundo dela."

"Tenho ciúmes do tempo que você passa com as crianças. Não sobra tempo para mim."

Seu queixo pode cair diante disso, pois é algo muito distante do reino das suas experiências e emoções, embora seja verdadeiro para os homens.

Para uma mulher, ao passar tempo com seus filhos, o homem está passando tempo com ela, pois os filhos são uma extensão de sua mãe. Isso significa que, quando seu marido ama os filhos — brinca com eles, joga com eles, lê para eles, coloca-os para dormir —, ele também ama a mãe deles. Tudo está ligado às necessidades de relacionamento que são parte integrante de uma mulher.

Conto esta história em seminários sobre casamento e sempre ouço um *Ahhh!* das mulheres. Quando minha filha recebeu flores e soube que vieram de um Leman, ela imediatamente presumiu que teriam vindo de sua mãe. "Mas, papai, quando descobri que eram suas, foi ainda melhor!"

— Ahhh! — sempre dizem as mulheres presentes.

— Vocês ouviram esse "ahhh!" na plateia? — pergunto aos homens.

Há risos e gozações vindos da parte masculina da audiência.

— Bem — digo — toda mulher está morrendo de vontade de dizer *a você* esse "ahhh!". Sempre que você fizer coisas doces, másculas, sensíveis, gentis e amorosas para sua filha e mostrar esse lado de sua natureza a ela, também estará fazendo essas coisas para sua esposa. Sabiam disso?

E uma lâmpada se acende sobre a cabeça dos homens.

Uma mulher segue o princípio que diz: "Se você me ama, então amará as pessoas que me são mais queridas e as tratará bem".

Quando um pai mostra esse tipo de amor e atenção à sua filha, você pensa: "Uau! Sou felizarda por ter me casado com esse homem! Gente, fiz a escolha certa!". De uma hora para outra, você se sente mais romanticamente inclinada na direção daquele homem.

Mas não é assim para o homem. Para o homem, os filhos são uma entidade separada. Ele não os conecta emocionalmente à mãe. Num sentido bastante real, pelo fato de ele se identificar mais com coisas, vê os filhos como coisas (sem ofensa para os filhos) que competem com ele pela atenção dela. E, rapaz, como competem! Os filhos são pequenos sugadores hedonistas que absorverão todo tempo e atenção que você puder lhes dar... e um pouco mais.

Não é à toa que eles drenam toda a sua energia e a deixam exausta demais para cuidar do menino grande de sua vida, o grande sugador hedonista que, de vez em quando, também precisa de todo o seu tempo e atenção, e um pouco mais.

"Dr. Leman", você deve estar pensando, com repugnância, "o senhor está dizendo que devo satisfazer meu marido quando ele agir como uma criança? Quero dizer, ele é crescido e, puxa, já é pai. Não deveria agir de acordo?".

Deixe-me replicar fazendo-lhe uma pergunta: "Você sempre satisfaz seus filhos?".

Espero que não, porque eles são inclinados a pensar apenas em si mesmos. Se você os satisfizer sempre, eles vão se juntar e de fato tirar vantagem disso.

Os maridos podem fazer a mesma coisa.

O ponto principal que estou querendo destacar aqui é que você precisa perceber que o papel que seus filhos desempenham na vida de seu marido é diferente do papel que eles desempenham em sua vida. Se não fizer isso, fará o ciúme de seu marido — ou seu ciúme em potencial — ficar ainda pior.

"Sinto como se não conseguisse fazer nada, que não sou de fato necessário."

Nunca me esquecerei do dia em que segurei minha neta Adeline quando tinha seis meses de idade. Sua mãe colocou-a no meu colo e senti-me privilegiado por segurá-la. Por um segundo, ela olhou para mim como se fosse chorar. (Tudo bem, eu sei. Às vezes pareço muito assustador.) Então, seus olhos viram sua mamãe, em pé ao meu lado, e pude ver a paz em seu rosto. Sua mamãe estava ali, de modo que tudo ficaria bem. Embora conhecesse meu rosto e minha voz, eles não lhe eram tão familiares quanto os de sua mamãe. E, se tivesse de escolher, você pode apostar que ela escolheria a mamãe.

Esse tipo de comportamento faz sentido, uma vez que os filhos estão ligados à mãe desde o minuto em que são concebidos ou adotados, e são cuidados e alimentados, com mais frequência, pela mamãe.

Isso pode deixar os pais de primeira viagem um pouco de fora. Eles são impotentes — é comum nem sequer conseguirem ajudar a alimentar o bebê. Ou, se tentam alimentá-lo, a temperatura ou a fórmula da comida está um pouco diferente daquilo que a mãe lhe daria, e o bebê começa a berrar de frustração.

Mas o que acontece em seguida?

"Aqui, aqui, meu pequeno", diz a mãe, enquanto entra em cena para assumir o controle da situação. Em poucos segundos, o bebê se aquieta, e, como por mágica, o mundo entra nos eixos novamente. A "conserta-tudo" chegou.

Como nós, homens, nos sentimos diante disso? Aliviados, sim, mas também frustrados diante de quão ineptos somos nessa situação.

O homem precisa de uma esposa compreensiva que diga coisas como: "Ah, querido, ela está irrequieto o dia inteiro. Obrigado por tentar. Gosto disso... e de você. Espero colocá-lo na cama um pouco mais cedo hoje à noite para podermos ter um tempo juntos, sem interrupções, para variar. Você poderia colocar a louça na lavadora para me ajudar? Assim, nós dois teremos terminado quase juntos e poderemos relaxar".

É incrível o poder que as palavras de uma mulher têm para mudar os sentimentos e a visão de um homem. Você tem seu homem na palma da mão. De repente, apenas com essas palavras, ele pode sentir-se muito melhor em relação a seu papel na família.

Por meio dessa pequena conversa, você lhe disse que:

1. Você acha que ele deu o melhor de si para ajudá-la com o bebê.
2. Você está dando tudo de si para conseguir um tempo sem interrupções com seu menino grande porque ele é importante para você.
3. Você lhe deu uma tarefa que o faz sentir-se útil e bom em alguma coisa, ainda que ele não tenha digerido direito essa coisa com o bebê.
4. Você lhe disse que *precisa* dele e de sua ajuda.
5. Você disse que está ansiosa para passar momentos sozinha com ele.

Você ficará maravilhada ao perceber quanto seu marido estará ansioso não apenas para colocar aquela louça na lavadora, mas para limpar a cozinha inteira também.

Afinal de contas, a pessoa com quem ele mais deseja ficar é *você*. E não estou falando apenas dos momentos em que vocês estão debaixo dos lençóis. Você é a única com quem ele realmente deseja ter intimidade.

Mas às vezes isso é muito difícil para você.

Tentando fazer tudo

Uma das coisas mais difíceis sobre ser mulher hoje em dia é que todo mundo quer um pedaço de você. Seu chefe quer aquele memorando. A igreja pede "apenas uma noite" por semana. As crianças querem ir a três locais diferentes, tudo na mesma hora. Os professores querem um reforço em casa. É claro que, para guardar dinheiro, você também vende produtos de beleza para as amigas.

Pelo fato de serem ótimas em multitarefa e em relacionamentos, as mulheres sempre se verão equilibrando um número muito maior de tarefas do que os homens. Mas, se você estiver ocupada demais subindo a escada corporativa, tocando um negócio em casa ou levando as crianças para todo lado, o relacionamento com seu homem será o primeiro a sofrer. Uma enorme quantidade de mulheres só se deu conta da correria que era sua vida quando se viram numa vara de família acertando detalhes do divórcio.

À medida que outras coisas assumem precedência sobre seu relacionamento, o poder do casal é diluído. Então, de repente, o "casal feliz" se vê divorciado. Muitas vezes, por baixo do verniz brilhante de seu relacionamento — aquilo que as pessoas veem — estão pessoas feridas que falharam na definição de suas prioridades e terminaram se desgastando. A mulher sentiu-se compelida a fazer tudo, e o homem sentiu-se compelido a competir e conquistar. Contudo, o ponto crucial é que ambos perderam o que é mais importante: seu relacionamento!

Infelizmente, o casamento não é algo muito valorizado em nossa sociedade. É mais fácil cair fora quando as coisas ficam difíceis. É extremamente comum ver celebridades trocando de cônjuge ou namorado(a), indo de relacionamento em relacionamento em busca de satisfação. Uma olhada nas revistas femininas já diz tudo.

Mas não se deixe apanhar na armadilha que afirma que a grama do outro lado da cerca é mais verde. Quando chegar do outro lado, você continuará tendo de apará-la!

A realidade é que o casamento é igual à construção de um prédio. É preciso ter alicerces firmes e apropriados. É preciso usar o material correto, incluindo barras de ferro que tornarão as fundações firmes e resistentes. Se não for assim, o prédio que parece tão belo do lado de fora começará a apresentar pequenas trincas. Com o tempo, essas trincas se espalharão por toda a superfície, e o prédio começará a se desintegrar.

Dan, 40, conheceu Lynn, 32, numa aula do curso noturno da faculdade local. Lynn era divorciada e tinha um filho de 13 anos. Dan nunca se casara e gostava muito de crianças. À medida que os dois foram se conhecendo, passaram a incluir Joey em seus encontros. Dan pensava: "Puxa, esse é o melhor de todos os mundos. Se eu pedi-la em casamento e ela disser sim, também passo a ser pai no mesmo instante. Sempre quis isso".

Dan e Lynn se casaram três meses depois. Quando um amigo os alertou para esperarem e procurar primeiro algum aconselhamento conjugal, ambos declinaram. Tinham idade suficiente para saber o que queriam.

No entanto, assim que se casaram, a atenção de Lynn voltou-se imediatamente para seu filho, excluindo Dan. Ela insistia em que primeiramente precisava ser mãe e que Joey precisava do amor de Dan. Contudo, ela não permitia que Dan disciplinasse Joey. "Joey já sofreu o bastante com o pai dele", afirmou ela. "Ele precisa apenas do seu amor."

Cinco anos depois, quando Joey foi para a faculdade, o casamento de Dan e Lynn desmoronou. Eles foram se afastando, em vez de se aproximar, porque o lar tinha apenas um foco: Joey. Agora que ele estava na faculdade, sobre o que os dois conversariam? O alicerce de seu amor foi construído apressadamente, sem reforços, e os anos de "primeiro o filho" desenvolveram rachaduras por todo o casamento. Quando Joey partiu, o edifício ruiu completamente.

Ele está sedento por sua atenção?

Em razão de suas principais necessidades, a maioria dos homens tem muitos conhecidos e contatos de negócios, mas poucos têm relacionamentos significativos. É por isso que o relacionamento que tem com você é tão importante para ele, *quer lhe diga isso quer não.*

Você tem ideia do que ele abriu mão por sua causa? Ele poderia estar reformando carros com seus amigos no posto de gasolina do bairro. Ou passando tempo no restaurante com todos os adolescentes e jovens estudantes durante o verão. Poderia ter grandes conversas com seus amigos, como esta:

— O que você quer fazer hoje à noite?

— Hã, sei lá, cara.

O que fiz antes de me casar? Cresci numa cidade pequena onde os homens passavam tempo na gloriosa barraca de cachorro-quente. Havia um estacionamento enorme ali. Nós, homens, ficávamos ali, sentados nos bancos por horas a fio, sem fazer nada de importante. Alguns caras iam mexer em seus carros.

Homens que moram sozinhos comem a mesma comida por sete dias seguidos. Usamos as mesmas roupas. Não vemos problema algum em comer pão com um pouco de mofo. Bebemos suco de laranja direto da embalagem. Nossos apartamentos são decorados com uma pirâmide de caixas de *pizza*, empilhadas no canto — uma para cada dia da semana, de terça a sexta.

A questão é que aquilo de que abrimos mão a seu favor não é algo assim tão importante. Seu homem certamente tem uma vida muito mais interessante com você! Você sabia disso?

Mas uma mulher pode estar tão ocupada equilibrando casa, carreira e uma miríade de relacionamentos (algo em que as mulheres são muito boas) que a pessoa normalmente deixada de lado é aquela que lhe é mais próxima... seu marido. Adicione filhos à mistura, e sobra muito pouco espaço para o primeiro amor de sua vida.

Enquanto isso, seu marido está *clamando* por sua atenção. Ele precisa desesperadamente de tempo a sós com você. Em vez de encarar isso com uma postura do tipo: "Puxa, meu irmão. Por que ele tem de ser tão infantil?", enxergue o outro lado. Que elogio! A única pessoa de quem ele realmente quer ser íntimo é *você*. Essa é a importância que você tem. Por isso é tão importante para ele saber que é o número 1 em sua vida, e não apenas outro item para você ticar em sua lista.

Ele tem necessidade daqueles jantares românticos... da mesma forma que você necessita deles. Ele precisa de tempo sozinho no quarto, quando o celular está desligado e seus filhos estão na casa da avó para passar a noite.

Existe uma disparidade?

Todos nós temos dois "eus": um eu ideal e um eu real.

O eu ideal é como você gostaria que os outros o vissem.

O eu real é quem você realmente é.

Quanto maior a disparidade entre o eu ideal e o eu real, maior será a dissonância em sua vida. Se você tentar ser o que não é, vai meter-se em dificuldades. Ficará continuamente desapontada consigo mesma e com os outros.

Se, por exemplo, você tiver uma propensão a fazer que os outros pensem que sua vida está totalmente ajustada, que sua casa está sempre em ótimas condições e que possui a família ideal (um marido, 2,5 filhos e um cachorro), você pode ficar chateada, para usar um termo educado, se chegar em casa depois do trabalho e encontrar um caos na cozinha, seu marido estirado no sofá vestindo camisa de flanela xadrez e calça de moletom, comendo restos de *pizza* e assistindo a uma reapresentação do programa *American Choppers*. Especialmente se seu chefe e a esposa dele estiverem chegando para jantar em uma hora e se ele tivesse lhe prometido que começaria a preparar o jantar.

Seu eu ideal tinha tudo planejado. Seu chefe e a esposa dele encontrariam uma casa adorável com cheiro de jasmim. Descontraída e feliz, você os receberia à porta. Estaria usando trajes para noite bem femininos, a mesa da sala de jantar estaria posta, com jogos americanos dourados e com desenhos de flores lilás, e aperitivos e tira-gostos estariam arranjados artisticamente na mesa de centro, à frente do sofá. Você os apresentaria a seu marido, que seria o encantamento em pessoa, e comentaria de modo informal que um vizinho levou seus filhos para uma peça infantil numa escola das proximidades. Seu marido teria dado um banho em Frida, a cadela, de modo que ela estaria fofíssima e seria amigável, recebendo os convidados com um abano da cauda e logo em seguida saindo pela porta lateral para brincar nos fundos.

Depois, você ouviu de terceiros o que seus convidados de fato acharam daquela noite em sua casa. "Ela estava tão estressada. Pude ver isso em seu rosto", disse a esposa. "Preferiria que as pessoas não nos convidassem para visitá-las se isso for motivo de estresse para elas. Sua sala de estar cheirava a resto de *pizza*. A gente fica pensando como ela preparou o jantar, embora tenha feito questão de dizer que tudo era feito em casa. Dava para ver que o marido estava com o pensamento em qualquer outro lugar, menos ali em casa. Ele ficava desviando o olhar para a televisão até que finalmente disse que precisava levar a cachorra para passear."

Tentar ser quem você não é representa uma enorme pressão para qualquer um! É cansativo, e as pessoas percebem — especialmente seu marido. Conforme vocês dois desenvolvem intimidade emocional, ele passa a saber quem você realmente é e as coisas com as quais tem dificuldade. A ironia é que, porque existem dificuldades, às vezes você tenta esconder a "verdadeira você" do homem que mais a ama! É como tentar fazer que Deus não saiba quem você realmente é. Isso também não funciona.

Os casais que sobrevivem e vicejam são aqueles que cobrem o abismo que existe entre o real e o ideal em sua vida. Os dois decidem juntos qual será o próximo passo de seu casamento. Passam algum tempo olhando para trás e analisando o que cada um "foi" na vida, de modo que possam seguir adiante *juntos*. Não se preocupam muito com o que os outros acham. Importam-se apenas com o que Deus e eles pensam.

No longo prazo, é isso o que importa.

Você é uma agradadora?

O problema com as mulheres é que muitas de vocês são agradadoras.[1] Você quer garantir que todos estejam felizes e, assim, esforça-se para que isso aconteça. Contudo, durante o processo, termina assumindo a culpa por coisas, situações e pessoas sobre as quais não tem controle. É como a aeromoça que ouve um monte de bobagens na forma de grosserias e insultos de um passageiro e, então, diz "obrigada" ao homem.

Tentar manter todo mundo feliz é um ato contínuo de malabarismo, o que não é nada saudável. Quando mulheres que tentam ser agradadoras a todo custo vêm de um passado familiar disfuncional, isso é ainda mais difícil. A agradadora está sempre dizendo a si mesma o que deveria ter feito. "O que há de errado comigo? Deveria ter concluído esse projeto no prazo". Ou: "Deveria ter pego as crianças. Se tivesse feito isso, Mark não estaria tão estressado e infeliz. Assim, ele não teria gritado. É tudo culpa minha. Sou uma estúpida".

Muitas mulheres ficam pulando de uma atividade para outra e tentam realizar tudo ao mesmo tempo porque aquela pequena voz dentro delas diz: "Você deveria ter feito algo melhor". A mesma voz anula o gosto doce da vitória que você sente depois de realizar algo maravilhoso. Mesmo que alguém diga: "Bom trabalho", você está sempre pensando: "Você me amaria ainda que eu não fizesse isso?". E, por causa disso, você tem dificuldade de dizer não. Assim, aumenta ainda mais o ritmo da sua vida.

Enquanto isso, o homem que precisa de tempo com você sente-se jogado de lado. Pelo fato de você dar tanta ênfase aos relacionamentos e continuamente passar tempo com outras pessoas, ele sempre vem por último. Ele não vai lhe dizer, mas está pensando: "Acho que não sou mais importante para ela".

Será que, pelo simples fato de vivermos num mundo onde as mulheres podem fazer e ser qualquer coisa que queiram — incluindo cirurgiãs, advogadas e pilotas de avião —, *você* também precisa fazer tudo? Isso significa que toda oportunidade que lhe é dada é boa, algo que você deveria abraçar neste momento?

Deixe-me fazer-lhe uma pergunta: se o seu marido estivesse sentado em minha sala de aconselhamento, será que ele me diria: "Se tiver sorte, recebo um pouco de atenção entre o jornal noturno e a novela das 8."?

Se você descobre que tem câncer de ovário em estágio 4, o que mudaria em sua vida? Uma pergunta assim separa os pequenos detalhes e a "ocupação" daquilo que realmente importa, não é? Pense nisso.

Vale a pena se sacrificar por um bom casamento e pela família. Para poder reservar um tempo para a intimidade conjugal (algo sobre o que falaremos no próximo capítulo), sem mencionar a disponibilidade para os filhos, você talvez precise abrir mão de algumas coisas. Talvez precise dirigir o mesmo carro por dez anos ou mais. Pode ter de abandonar a ideia de férias caras. Talvez precise aceitar doações ou comprar roupas no brechó, em vez de ir a uma loja careira a fim de comprar roupas para as crianças.

Mas os sacrifícios valerão a pena. Você vale a pena. Seu marido vale a pena. E seus filhos — quer já os tenha quer ainda estejam a caminho — valem a pena.

Seu marido forte e grande quer *desesperadamente* que você tenha necessidade dele.

Se você não tiver um caso de amor com seu marido, alguém terá.

Como vai encarar esse desafio?

* * *

"CONVERSA DE HOMEM"

Quando seu marido estiver desesperado por você:

1. Ouça o que ele está dizendo.
2. Procure indicações e linguagem corporal que expressem aquilo que ele *não* está dizendo.
3. Não o desrespeite, ainda que ele não seja tão bom quanto você em tarefas específicas.
4. Pense: "Eu poderia fazer essa tarefa? Como me sentiria se tentasse... e fracassasse? Ou se alguém se aproximasse e assumisse essa tarefa por temer que eu não seja capaz de realizar um trabalho suficientemente bom?".
5. Seja fisicamente positiva e afetuosa. Não coloque as necessidades dele em compasso de espera por muito tempo. Ele realmente *precisa* de você.

Quão caseiro é o seu homem?

Se um homem for bastante caseiro, isso provavelmente se deve ao fato de a rainha manter o rei bastante feliz. O lugar de um homem é em casa (ainda que ela não seja seu castelo!). No passado, as pessoas costumavam dizer que o lugar da mulher é em casa. As mulheres achavam isso bastante ofensivo, mas creio que o lugar do homem também é ali! Um homem pode ter muitos chefes fora de casa, mas, lá dentro, ele tem a oportunidade de gentilmente prover autoridade e receber o respeito que lhe é devido. Todo homem saudável precisa de um lar saudável.

Minhas viagens costumam exigir que me afaste de casa, mas sou uma pessoa bastante caseira. Mal posso esperar para voltar para casa e, quando estou longe, telefono tantas vezes que deixo Sande maluca. "Olha, Leemie", diz ela, "você pode estar viajando, mas preciso fazer um monte de coisas por aqui!". Meu dia de sonho é estar em casa, perambulando por ali sem ter o que fazer. Simplesmente adoro minha casa. Não consigo sequer imaginar estar em outro lugar.

Se eu fosse um homem concentrado em outra coisa fora de casa, teria de sair de casa para recarregar as baterias. Voltaria para casa sob protesto e, quando estivesse ali, minha cabeça estaria em outro lugar. Agiria como se estivesse ressentido por estar em casa e ficaria cada vez mais irritado com as pessoas que me "perturbam" quando estou em casa. Minha esposa e meus filhos receberiam apenas as sobras, não as partes importantes.

Se sou um homem caseiro — em grande parte porque, em casa, sinto-me respeitado, necessário e satisfeito, e porque tenho uma esposa que se preocupa em agradar a mim, não aos outros —, farei qualquer coisa que fortaleça o lar, porque esse é meu mundo mais importante. Não pensarei duas vezes quanto a sacrificar o prestígio no escritório a fim de estar em casa para o jantar. Não deixarei que um chefe me intimide para que desista de ir ao jogo do meu filho ou que não chegue em casa no horário para colocar as crianças na cama. Farei todo o possível para que tudo em casa esteja funcionando, pois uma casa sadia é importante para mim — mais importante do que qualquer outra coisa, a não ser, talvez, minha fé.

Seu homem é caseiro? Em vez de culpá-lo, faça a si mesma estas perguntas:

1. Você está fazendo do lar um lugar agradável onde ficar?
2. Ele se sente respeitado, necessário e satisfeito como homem?

Lembre-se de que essas são as três necessidades básicas do seu homem. Contudo, no ritmo rápido do mundo de uma mulher, é fácil esquecer-se daquele que está mais próximo de você.

Aja!

- Diga ao seu marido de maneira específica aquilo que você ama e aprecia nele. Se tiverem filhos, faça isso na frente deles.
- Separe uma noite por semana apenas para vocês dois. Marque na agenda a tinta e não deixe que nada mude seus planos.
- Envie-lhe um *e-mail* amoroso ou coloque um bilhete em sua carteira ou pasta que diga quão importante ele é em sua vida.

O que você pode fazer por seu marido desesperado

As mulheres são muito melhores em executar várias tarefas ao mesmo tempo do que nós, homens. Você consegue falar ao telefone e, ao mesmo tempo, pôr a mesa para o jantar, colocar a roupa na máquina de lavar e adicionar alguns itens à lista de coisas a fazer amanhã no trabalho. Nesse mesmo período, um homem diria apenas: “Hã, alô?” ao telefone.

O simples ato de vermos você fazendo isso já nos deixa boquiabertos e, francamente, às vezes ficamos tontos. Pelo fato de sua vida incluir tantos detalhes e relacionamentos e, mesmo assim, nos parecer que você está realizando um trabalho excelente, ficamos intimidados. Achamos que estamos um pouco perdidos, que somos um pouco inábeis.

O resumo da ópera é que sabemos que você é nossa maior bênção. Veja a seguir o que adoraríamos ver você fazendo por nós e por si mesma, caso nos perguntasse.

Não se sobrecarregue

No mundo ocupado de hoje, cheio de opções, é preciso determinação e força de vontade para não se sobrecarregar. Especialmente pelo fato de você ser tão relacional e criada com a habilidade de equilibrar várias coisas ao mesmo tempo. Mas, quando queremos passar um tempo sozinhos com você, *precisamos* de tempo sozinhos com você.

Se você pode rearranjar sua agenda para se encontrar com uma amiga, adoraríamos receber a mesma consideração. Seria música aos nossos ouvidos escutar você dizer: "Querido, estava pensando em minha agenda. Ela está lotada demais, e estou considerando o que posso mudar. Você poderia me dizer o que gostaria que eu eliminasse? Quero estar mais tempo disponível para você".

Ao ler o último parágrafo, o cabelo de algumas mulheres se eriçou. "O que você está dizendo? Estar mais disponível? Desde quando você virou o chefe? Por acaso você é de Neanderthal? De onde você vem?"

Pare neste exato momento. Passe o secador, penteie e assente o cabelo. Dê uma olhada ao redor e diga-me o que vê. Diga-me o que está acontecendo com o relacionamento das pessoas com quem você trabalha. Diga-me o que está acontecendo em sua vizinhança. Quantas pessoas estão passando pela tragédia do divórcio neste exato momento? Os psicólogos populares de hoje dizem às pessoas: "Pense em você mesmo" e: "Não se esqueça de renovar a assinatura da revista *Eu*". Gostaria de lembrá-la de que os casamentos estão durando em média sete anos. O que você vai fazer de diferente?

Talvez alguns dos principais conceitos deste livro sejam dignos de uma segunda avaliação de sua parte. Se você se sentiu incomodada, talvez tenha sido programada ou tenha sofrido uma lavagem cerebral na direção dessa visão quase paranoica dos homens e da atenção que eles dão aos relacionamentos: "Homens! São todos iguais!".

Também existem livros como *Do que os homens gostam*, da dra. Laura Schlessinger, que incentiva a mulher a colocar seu marido em primeiro lugar. A boa notícia é que, quando você tem um marido que entende a ideia geral da submissão mútua, colocá-lo em primeiro lugar é muito mais fácil! Então, você vai gostar muito de ser mulher por seu homem ser atencioso.

Que tipo de coisa seu marido faz por você que demonstra que ele realmente se importa? Que tipo de coisa você pode fazer por ele para mostrar que você realmente se importa?

A mãe de Sande morreu há vários anos. O aniversário dela era no dia 25 de setembro. Assim, em 25 de setembro, comprei um pequeno cartão para Sande. As únicas palavras impressas ali eram *Eu te amo*. Simplesmente acrescentei as palavras *hoje e todos os dias* e desenhei uma seta apontando para o *eu te amo*. Dei-lhe um pequeno buquê de rosas junto com o cartão.

Por que fiz isso? Porque sei como minha esposa pensa e quero ser atencioso para com as necessidades dela. Quero que ela saiba que me lembrei do dia em que sua mãe nasceu. Se não tivesse feito nada, Sande provavelmente não teria dito uma única palavra sobre o dia. Ela teria guardado aquilo para si.

Mas sei que são as pequenas coisas ternas que nós, homens, fazemos nos relacionamentos que respondem às perguntas não verbalizadas que uma mulher faz todo dia: "Você realmente me ama? Você realmente se importa?". Para Sande, o fato de lembrar-me do aniversário de sua mãe respondeu às suas perguntas não verbalizadas com um sonoro sim!

As perguntas de Melinda sobre o amor e o cuidado de seu marido foram respondidas quando Jeff separou um tempo para fazer aquilo que ela sabia que ele não tinha tempo de fazer: trocar os lençóis de todas as camas da casa e lavar toda a roupa enquanto ela estava fora da cidade e ele tinha um cronograma para cumprir.

Pensar primeiramente em seu homem pode significar que algumas coisas da casa não sejam feitas — como tirar o pó — em certas fases da vida, mas, seja como for, nós, homens, não nos importamos muito com isso. Se você for mãe de duas crianças, uma de dois anos e outra de quatro, preferimos que tire uma soneca quando as crianças dormirem, em vez de vê-la limpando a casa.

Você tem apenas um número determinado de horas durante o dia. Considere o que será mais importante na jornada como um todo.

Por que não dar uma olhada em sua agenda neste exato momento? O que há para fazer hoje? E amanhã? Do que você gosta? Que coisas trazem estresse à sua vida e aos seus relacionamentos? Por que não reservar uma noite para se sentar e descobrir o que é realmente importante para você?

Se *você* não começar a cancelar alguns compromissos, garanto que ninguém mais o fará. Você precisa ser a guardiã de seu próprio coração e de seu casamento. Se simplificar sua vida, seu homem será mais atencioso... e você terá o tipo de marido que sempre quis.

Seja criativa!

Sua vida não é a mesma de quando era solteira. Quando se casou, você concordou — pelo menos em teoria — que seu marido seria sua principal prioridade. Se você tem filhos, então adicionou outra camada de responsabilidades. E tudo isso se soma a uma porção de outras coisas a fazer, especialmente se você também trabalhar fora.

Se você disser: "Não importa o que aconteça. Ainda serei a principal pessoa da minha empresa daqui a quinze anos", ou: "Também posso trabalhar como assistente na igreja", você acumulará muitas coisas para fazer. Se o fizer, você e sua família pagarão o preço.

Por que não ser criativa? Antes de Carmen e seu marido adotarem uma menina, os dois viajavam bastante para suas respectivas empresas. Depois que a pequena Emma entrou em sua vida, Carmen ainda precisava trabalhar em tempo integral para pagar as taxas da adoção. Mas ela encontrou uma opção criativa junto à sua empresa. Eles tinham problemas de espaço no escritório. Ela era muito boa no que fazia e poderia dar conta de praticamente todas as suas atribuições trabalhando em casa. Fizeram um acordo por meio do qual ela só precisaria estar no escritório duas horas por semana para reuniões.

"É claro que perdi a vista do meu escritório no último andar do prédio", diz Carmen, rindo. "Meus colegas diziam que eu tinha o melhor escritório. Não podiam acreditar que abriria mão daquilo. Mas, no geral, consegui o melhor acordo. Emprego de tempo integral, seguros e benefícios, além do privilégio de estar em casa em tempo integral com minha filha. Talvez nunca mais volte para aquele escritório, mas não me importo. Minhas prioridades mudaram depois que Emma entrou em nossa vida. O avanço em minha carreira profissional era a coisa mais importante para mim, mas isso acabou."

Com o avanço da tecnologia, é mais fácil para uma mulher trabalhar em casa. Assim, por que não experimentar algumas opções criativas? Trabalhe um dia a menos na semana e use esse dia para resolver as coisas fora de casa, de modo que não precise fazer isso à noite ou nos fins de semana, quando as lojas estão mais cheias.

Debbie, minha assistente, costumava trabalhar comigo num escritório. Usávamos todo o terceiro andar de um grande edifício de três andares na principal rua de Tucson. Havia até uma placa enorme com meu nome no prédio. Você podia vê-la da estrada. Mas tudo aquilo se foi. Valorizo tanto minha assistente que, quando as necessidades dela mudaram, mudei junto com ela. Quando ela me contou como era difícil levar sua filha para a escola, uma vez que seu marido também trabalhava, não tive problema algum em mudar o horário. Hoje Debbie trabalha apenas em sua casa. É um excelente acerto de trabalho para nós dois, pois assim também fico em minha casa na maior parte do tempo. Gosto muito de levar Lauren, minha filha mais nova, para a escola e depois ir buscá-la nos dias em que não estou viajando.

Coloque-o em primeiro lugar, acima dos filhos

Digamos que eu esteja longe de casa e telefone para minha esposa. Tenho apenas cinco minutos entre as reuniões, mas quero muito entrar em contato com ela. Durante nossa breve conversa, sou interrompido pelo menos cinco vezes pelas crianças. Depois de um tempo, canso-me daquilo e digo: "Até mais". Desligo o telefone e não lhe revelo o que estava no meu coração.

Permitir que as crianças interrompam o tempo que tem com seu marido diz a ele que você acredita que as necessidades dos outros são mais importantes que as dele.

Ele deseja que você diga às crianças: "Agora não. Estou falando com seu pai".

Isso prova que aquilo que ele tem a dizer é importante para você e que vocês dois estão unidos no posicionamento com as crianças. Também diz ao seu pequeno coração de menino: "Não sou apenas uma chatice e uma coisa para marcar como concluída durante o dia. Você me valoriza pelo que sou".

As crianças geram muita divisão. Elas competirão umas com as outras e com seu marido por sua atenção. Elas são como a Avis, aquela segunda empresa de aluguel de carros, cujo *slogan* é: "Nós nos esforçamos mais".

Portanto, não deixe que as crianças a interrompam se você estiver conversando com seu marido. Faça-lhes cara feia, se for preciso. Coloque-as em seu lugar (número dois, depois do papai). Ensine-lhes que, quando papai e mamãe estiverem conversando, a coisa é importante. Aquilo que as crianças têm a dizer — com exceção de: "Olha, a casa está pegando fogo!" — pode esperar.

Chegará o dia quando seu pequeno ninho estará vazio. Vocês não desejam ter o que dizer um ao outro, como casal, quando isso acontecer? Então, não coloque todos os ovos na cesta dos filhos. Nós, homens, entendemos que, às vezes, os filhos precisam vir em primeiro lugar — quando são bem pequenos ou quando estão doentes. Mas, se eles *sempre* vierem em primeiro lugar, vamos ficar muito tristes.

Deixe-o respirar e, então, peça sua ajuda

Vocês, mulheres, têm dias complicados. Cerca de 70% de vocês com filhos menores de dezoito anos estão trabalhando. Estão não apenas colocando comida em casa, mas também preparando-a... e equilibrando 1.200 outras coisas ao mesmo tempo. Não é surpresa alguma que, quando seu homem entra pela porta, você o veja como o jogador que vai substituí-la nesse jogo. Você está mais do que disposta a deixá-lo assumir... imediatamente.

— Ah, que bom que você chegou! Estou tão feliz! Você pode olhar as crianças enquanto termino o jantar e dou alguns telefonemas?

Mas a maioria dos homens precisa de tempo para descomprimir do trabalho e, assim, não recebe muito bem essa sugestão. Eles precisam primeiramente tomar um banho e livrar-se das preocupações do dia. Contudo, depois de tomar seu banho e descer as escadas, se ele ainda parecer lento, você pode dizer:

— Crianças, sei que vocês querem brincar com o papai, mas ele precisa primeiro de um tempo para relaxar.

Sabe de uma coisa? Seu homem normalmente vai encarar o desafio porque, em sua mente, você o honrou ao colocá-lo em primeiro lugar. Você o apoiou e basicamente disse o seguinte, de maneira agradável:

— Crianças, afastem-se. Papai vem em primeiro lugar e ele merece um tempo.

Ironicamente, isso faz que ele se sinta pronto para brincar.

— Venham, crianças, tudo bem. Não me importo. Vamos para o quintal jogar bola enquanto a mamãe termina o jantar. Tudo bem? Está bom para você, querida?

É impressionante ver o que nós, homens, faremos quando nos sentirmos honrados e incluídos. Como o marido que levou as três filhas ao parque em seu dia de folga e deixou a esposa em casa com tempo para ela. Aquele dia foi sua folga mental — para tomar chá, colocar os pés para cima, ouvir música e tomar um pouco de sol no quintal enquanto lia um bom livro e tirava uma soneca.

Você pode apostar que, ao chegar em casa, aquele homem encontrou uma esposa muito feliz. E, porque ela estava feliz, também estava mais disposta a colocar as crianças na cama mais cedo para que eles pudessem ter sua própria comemoração.

O que um homem pode fazer para que sua esposa se sinta estimada

1. Ajude a preparar o jantar, lave a louça, coloque a mesa. É assim que uma mulher entende: "Eu te amo".
2. Limpe sujeiras que você não fez... sem uma expressão dramática de mártir nem suspiros.
3. Vá caçar grilos no jardim com seus filhos para dar um descanso a ela.
4. Tenha consciência de que, ao entrar em casa depois do trabalho, você pertence à sua família. Portanto, faça a descompressão *antes* de chegar em casa, se possível.
5. Fique ao lado dela nas decisões que tomar. Ela não quer se sentir uma ilha.

O que uma mulher pode fazer para que seu marido se sinta honrado

1. Coloque as crianças na cama na hora de dormir (cedo, caso seu marido esteja com aquele brilho nos olhos...).
2. Faça algumas pausas durante o dia, de modo que não esteja exausta quando ele chegar em casa.
3. Não lhe peça para esperar nem diga "agora não" quando ele estiver sendo carinhoso. Às vezes você precisa deixar sua agenda de lado e satisfazer aquela necessidade. Em outros momentos, quando for possível naquela hora, você pode dizer de maneira sensual: "Você pode apostar que também quero um pouco de você — aliás, quero você *inteiro*. Vamos marcar um encontro para hoje, às dezenove horas? Estarei pronta para você... e vou pensar em você o dia inteiro".

Às vezes, nós, homens somos cabeças-duras. Contudo, a boa notícia é esta: somos treináveis! E faremos qualquer coisa para conseguir sua atenção.

Essa é a importância que você tem.

SEGREDO NÚMERO 5

Os homens são diferentes, e por uma razão muito boa!

Um homem de 35 anos se sentou em meu gabinete de aconselhamento. Parecia profundamente perturbado.

"Não consigo me controlar", admitiu ele. "Gosto de olhar as mulheres na rua. Outro dia, uma morena linda passou na minha frente. Ela me excitou..." Ele abaixou a cabeça. "O senhor sabe o que quero dizer, doutor. Estou tentando nem sequer olhar... mesmo! Amo minha esposa. O que há de errado comigo?"

Quer saber? Não há absolutamente *nada* de errado com esse cara!

Antes que você, esposa, comece a se arrepiar, escute o que tenho a dizer. O que vou revelar neste capítulo é uma das coisas mais importantes que você precisa saber sobre seu homem.

Você sabe quantas das melhores partes do corpo que Deus criou seu marido já viu hoje? Durante o trajeto que faz para chegar ao trabalho, ele é bombardeado por *outdoors* vendendo de tudo, de comida para cachorro a filtro de óleo para carro. Mas todos os anúncios têm algo em comum: uma mulher *sexy* e sorridente. Por onde quer que seu marido ande, ele é massacrado por essas imagens. Ele não pode nem cortar o cabelo sem ser banhado por imagens de mulheres em revistas, dizendo: "Vem cá!". A indústria de propaganda usa o corpo para vender praticamente qualquer coisa.

Isso cria uma batalha dentro do seu homem. Uma batalha diária contra o adultério.

Como a vez em que eu e meu amigo Cabeça de Lua fomos ao jogo dos Buffalo Bills e uma moça no corredor se curvou. Seu traseiro estava a vinte centímetros do meu rosto. Cutuquei Cabeça de Lua.

— Ei, Cabeça, acabei de cometer adultério.

Ela continuou curvada, e eu disse a Cabeça de Lua:

— Cometi adultério de novo.

Olhamos um para o outro e rimos.

"Espere um pouco, dr. Leman!", você pode estar dizendo. "Como o senhor pode ser tão insensível ao adultério? O senhor é casado e está olhando para o *traseiro* de outra mulher? Se eu fosse sua mulher..."

Essa é a questão. Eu e Cabeça de Lua rimos porque sabemos que é uma batalha que nós, homens, enfrentamos todos os dias. Admiti-la em voz alta nos ajuda a dar-lhe a devida importância.

Existe uma enorme diferença entre homens e mulheres quanto a como são no aspecto sexual. Digamos que você e uma amiga estejam fazendo compras no *shopping* e se deparam com um homem bonito. Você e sua amiga podem sorrir e levantar as sobrancelhas em apreciação, mas esse encontro acabou. Não houve nenhum toque, nenhum relacionamento — nada pessoal que gere algum envolvimento maior de suas emoções e de sua vida. O mais provável é que vocês nunca mais pensem naquele homem de novo. (Perceba que, para as mulheres, os casos ocorrem quando um homem mostra bondade e compreensão das necessidades dela e quando primeiramente toca seu coração. Todas essas ações normalmente acontecem antes de qualquer ação ligada a sexo.)

Mas lembre-se de que os homens não dão tanta ênfase aos relacionamentos. Eles se identificam mais com coisas. São visualmente estimulados pelo olhar. Isso significa que tudo aquilo que seu homem vê fica registrado em sua mente. Assim, se vir uma mulher sensual num vestido vermelho no metrô, ele poderá vê-la de novo em seus pensamentos naquela noite, na semana seguinte ou até mesmo um mês depois.

E aqui está o problema: ele será massacrado por aquela imagem *ainda que tenha um casamento feliz.*

Faça isso mais uma vez...

Em média, os homens têm 33 pensamentos sexuais por dia. Quando contei isso a Sande, ela disse:

— Isso é doentio.

Você pode estar dizendo a mesma coisa e pensando: "Só penso em sexo quando ele toca no assunto".

Tanto homens como mulheres foram planejados para o sexo. Contudo, permita-me fazer uma pausa aqui para esclarecer uma questão muito importante. Creio sinceramente que:

1. O sexo pertence ao casamento.
2. O sexo pertence apenas ao casamento — entre um homem e uma mulher comprometidos para a vida toda.

Foi assim que Deus planejou o sexo, e por uma boa razão. O único "sexo seguro" — tanto no aspecto emocional como no físico — é aquele realizado dentro dos limites do casamento. O "sexo projetado" é o sexo como o Criador o fez.

Você pode achar que sou uma relíquia da finada era vitoriana, mas creio que o casamento é o único contexto no qual um relacionamento sexual deva acontecer. É plano de Deus que um homem e uma mulher dediquem sua vida um ao outro, que se incentivem e apoiem um ao outro e que sejam leais um ao outro em todas as áreas da vida, incluindo a sexualidade, enquanto viverem.

Deus criou o sexo para ser uma experiência poderosa que provoca emoções extremamente fortes. Jamais teve o propósito de ser um ato impessoal. Goste ou não, você cria um elo emocional com seu parceiro sexual. Se você teve um parceiro sexual antes do casamento, isso explica a razão de ter "lembranças" de suas experiências sexuais anteriores e por que às vezes sente dificuldade de responder sexualmente ao seu marido.

A promiscuidade sexual é perigosa — nos âmbitos físico, mental e emocional. As pesquisas não poderiam ser mais claras. Um estudo nacional realizado com mais de 1.800 casais casados indicou que "a probabilidade de divórcio era duas vezes maior entre casais que haviam tido relações sexuais antes do casamento em comparação com casais que não tiveram. Além disso, a coabitação anterior ao casamento estava ligada a menores níveis de interação conjugal subsequente e maiores níveis de desacordo e instabilidade conjugais".[1]

É por isso que o sexo deve ser compartilhado apenas com alguém a quem você ame profundamente, e, se você ama essa pessoa o bastante para ter sexo com ela, então deve amar essa pessoa o bastante para dedicar-lhe sua vida por meio do casamento.

Gosto muito de um texto encontrado no penúltimo livro da Bíblia. Ele diz o seguinte: "Fiquem sempre dentro dos limites onde o amor de Deus possa chegar até vocês e abençoá-los".[2] Fidelidade sexual não é apenas manter as mãos longe de um pote de biscoitos prazerosos. É permanecer dentro dos limites que Deus estabeleceu por boas razões. Trata-se de desfrutar de um relacionamento pleno e honesto no qual Deus pode abençoá-los. E ele só pode abençoá-los se seu ato sexual acontecer dentro do casamento.

Diz-se que as mulheres precisam de uma razão para o sexo. Os homens só precisam de um lugar. Os homens realmente precisam de sexo, e foram criados para precisar de sexo, para pensar nele e buscá-lo. Um homem casado sadio não pode sentir-se satisfeito sem ele. Pensem nisto por um momento, senhoras: se a busca pela procriação da raça humana dependesse apenas de vocês, haveria muito menos bebês no mundo!

Os homens foram criados por Deus para desfrutar das formas femininas. É normal que um homem que ama sua esposa passe ao lado de uma linda mulher num vestido vermelho e pense: "Uau! Ela é bonita!". Ou que vire a cabeça num restaurante para seguir com o olhar uma jovem usando uma miniblusa vermelha.

A mulher que pensa: "Como ousa dizer isso? Que coisa mais obscena!" não está entendendo nada.

A esposa que pensa: "Ei, quer dizer que ele presta atenção nas mulheres de vermelho? Hummm, o que tenho no meu guarda-roupa?" entendeu a questão. Mais tarde, certamente ela vai chamar a atenção de seu marido usando aquela peça vermelha que tem no fundo do armário.

As estatísticas confirmam o que estou prestes a dizer. O que se passa em sua vida sexual é um bom indicador de como está o restante do seu casamento. É por isso que escrevi um livro intitulado *Sheet Music: Uncovering the Secrets of Sexual Intimacy in Marriage* [Música dos lençóis: revelando os segredos da intimidade sexual no casamento]. Seria bom que tanto você quanto seu marido dessem uma lida.

Porém, deixe-me dizer uma coisa, só para lembrar: seu marido vai sempre querer mais de você. Como diz a antiga canção da dupla Captain e Tennille, *Do that to me one more time*: "Faça-me aquilo mais uma vez/Uma vez só nunca é suficiente com um homem como você". É isso que seu marido deseja ouvir de você. É a linguagem dos sonhos dele, porque ela coloca as necessidades dele em primeiro lugar.

O que o sexo faz pelo homem

O sexo é energizante para o homem. Fortalece sua confiança e aumenta seu senso geral de bem-estar. Caso esteja num emprego que não o satisfaz, ele obtém a força para continuar o que está fazendo pela constatação de que existe um propósito para seu trabalho... e uma esposa disposta à sua espera como recompensa no final de um longo dia.

O sexo é o grande equalizador da vida de um homem. Se ele tem uma reunião com o contador e descobre que vai ter de pagar muito imposto de renda, ou se recebe uma avaliação ruim no trabalho, voltar para casa para uma esposa disposta faz que tudo fique melhor. É impressionante ver o que um bom sexo pode fazer por um homem: cura tudo, desde vírus, infecção bacteriana, impetigo, catapora, gripe e, mais importante, qualquer problema no casamento. Se, por exemplo, ele tiver brigado com a esposa e, mais tarde, naquele mesmo dia, eles fizerem sexo, todas as suas questões desaparecem. Elas se resolvem por si sós. O problema é que, para a outra metade do relacionamento — a feminina — as questões não se resolvem até que se fale sobre elas!

Mas despreze as iniciativas sexuais de seu homem, e você receberá algum troco.

Digamos que você veja seu marido estirado no sofá enquanto você está fazendo um milhão de coisas.

— Querido, você poderia levar minha mãe para fazer compras no mercado?

Ele mal olha para cima e diz:

— Não, não posso.

— Por que não? Você está só assistindo ao jogo.

— Estou ocupado.

— Você não me parece ocupado.

— Não importa o que parece. Estou ocupado. Se sua mãe precisa fazer compras, por que você não a leva?

O que está acontecendo aqui?

É um efeito retardado. É certo que trata-se de um jogo sujo, mas isso acontece o tempo todo. O marido pensa consigo mesmo: "Ela não quis fazer sexo ontem, e, assim, vou desprezá-la agora".

Pense nisso da seguinte maneira. Numa sociedade democrática, se você tem o direito de me desprezar, que direito tenho eu? Não tenho o direito de desprezar você também?

Ele diz: "As crianças estarão em casa hoje à noite?"

O que ele realmente quer dizer: "Quero botar para quebrar e rolar com você sem interrupções".

É fato que nós, homens, realmente agimos como meninos de vez em quando. Não estou dizendo que isso seja bom ou admirável, mas que somos assim. Você está casada com um homem real. Em contrapartida, estamos casados com uma mulher real. E seu homem *suplica* por sexo.

Uma das coisas mais amorosas e santas que você pode fazer no casamento é procurar seu marido sexualmente. Se o fizer, estará ajudando-o a fazer parte do trabalho dele. Sabe, os homens ficam muito satisfeitos quando cuidam de sua família. E um dos itens da descrição do cargo de seu marido é ser seu amante.

Quer um homem que esteja por perto, que fique por perto e seja realmente seu parceiro? Um marido que vai dormir com um sorriso no rosto, pensando "acho que sou o cara mais feliz do mundo!"?

Então, aprenda a ser uma grande amante. Isso dará enorme firmeza ao seu casamento e à satisfação dele.

Você ama seu corpo?

Anteriormente neste capítulo, quando mencionei que você poderia vestir algumas coisas vermelhas para seduzir seu marido, aposto que algumas pensaram: "Ah, claro. Certamente não tenho o corpo daquela mulher de vestido vermelho que passou na frente dele e o fez virar a cabeça".

Agora adivinhem só, senhoras! Seu marido quer que você se cuide, mas aqueles quilos extras nos quadris e coxas e os seios pequenos não importam para seu homem. O que ele quer é uma mulher disposta na cama. O fato de ser uma esposa disposta vai tirar alguns quilos de seu corpo (ou adicionar aos lugares certos!) e fazer que você pareça ainda mais atraente para seu marido.

Simplesmente olhar para você já é um fator de excitação para seu homem. Aos olhos dele, você está em forma — e em linda forma. Portanto, não prive seu marido do prazer de olhar para você!

Se você fica perturbada por parecer "muito nua" (embora essa expressão seja engraçada, pois ou você está nua ou não!), por que não diminuir um pouco as luzes, se isso a ajudar? Mas não diminua demais, a ponto de impedir que ele veja suas formas.

Por que é tão difícil para a mulher revelar seu corpo, especialmente na frente do homem que ela mais ama?

A imagem corporal positiva de uma mulher não é alcançada facilmente — pelo menos não para a maioria das mulheres com quem já conversei. De acordo com uma pesquisa da *Psychology Today*, mais da metade das mulheres norte-americanas não gostam de sua aparência geral.[3] Com base em minha prática, suspeito que seja *muito* mais que a metade. Até mesmo as mulheres que sabem que é "politicamente correto" aceitar seu tipo físico ainda têm, em particular, uma tendência a olhar para o espelho e reclamar do que veem.

Por que tudo isso? Por onde você for, encontrará mulheres que não se parecem com você. Assista a uma série de televisão e verá que as mães naquele programa usam blusas apertadas com algum decote revelador. Você olha para baixo, vê seus seios tamanho PPP e, um pouco mais abaixo, as coxas em expansão, e pensa: "Por que não posso tirar dois quilos de lá e colocar aqui?".

Ou então talvez tenha desenvolvido estrias e teme que, ao colocar uma *lingerie sexy*, seu marido ria, em vez de ficar excitado. Talvez você já tenha dado à luz três filhos e tenha estrias ou cicatrizes para mostrar, além dos quilos a mais. Assim, ainda que seu marido diga que seu corpo o excita, você tem receio de "mostrar tudo" para ele.

Aqui está a ironia da coisa. Você está presumindo que seu marido não se excitará diante de seu corpo porque não tem a aparência das modelos que aparecem nas revistas. Mas adivinhe só! Seu homem também não se parece com os homens das revistas! Afinal de contas, todas aquelas fotos de modelos também foram retocadas! Isso faz que eles não sejam pessoas "reais"! Mas seu homem é, e ele espera amá-la.

Por inteiro.

Como seu pai afeta a visão que você tem do sexo

Para aquelas que cresceram em lares rígidos e tradicionais e foram rigorosamente ensinadas sobre quais partes do corpo estão fora dos limites, é difícil deixar a luz acesa na noite de núpcias. Talvez tenham lhe ensinado que o sexo é algo sobre o que não se deve falar. Sua visão dele pode ser: "Sim, sexo é necessário para povoar o mundo, mas, nos demais momentos, vamos fazer de conta que ele não existe!".

Deixe-me perguntar-lhe: Seus pais eram amorosos? Sua mãe era do tipo que dava um tapa na mão de seu marido sempre que ele tentava flertar com ela? Seu pai era excepcionalmente frio com você e sua mãe? Ele usava a mão apenas para ferir, e nunca para acariciar? Mais importante, de que maneira esse estilo de criação influenciou a visão que você tem do sexo com seu marido?

Ou talvez você tenha encontrado material pornográfico no quarto de seu pai. As imagens ficaram marcadas em sua mente. E o mesmo aconteceu com o comportamento de seu pai, por ter abusado sexualmente de você. O uso de pornografia e o abuso sexual costumam andar de mãos dadas. Você desanima tanto com o sexo que diz: "Jamais farei algo parecido com isso". Se você sofreu abuso sexual, é praticamente impossível confiar em outro homem. Todo toque parece uma violação, ainda que saiba que seu marido a ama. A ferida e a vergonha a paralisam. E tanto você como seu marido terminam pagando por isso (quer ele saiba o que aconteceu quer não).

Ironicamente, a razão de uma mulher que sofreu abuso correr para o casamento é evitar o sexo. Se seu marido for um homem bom, ela sabe que ele não vai usar e abusar dela, de modo que imagina que, uma vez casada, pode dizer adeus ao sexo e nunca mais se preocupar com ele de novo.

Se você é assim e se há abuso em seu passado, recomendo que leia o livro *Lágrimas secretas*, do dr. Dan Allender, que penso ser o melhor livro disponível sobre o assunto. Outro livro que toda mulher precisa ler é *Intimate Issues: Conversations Woman to Woman* [Questões íntimas: conversas de mulher para mulher], de Linda Dillow e Lorraine Pintus.

Se você tem um relacionamento sadio com seu pai, então terá mais confiança em seu marido e menos inibições na cama. Entregar-se plenamente a seu marido será algo natural e seguro. Ainda que você tenha ganhado alguns quilos e a gravidade tenha mudado sua forma de ampulheta.

O dom do sexo

Deus criou o sexo:

1. Para que você pudesse criar vida.
2. Para unidade íntima.

3. Para conhecimento.
4. Para prazer.
5. Como defesa contra a tentação.
6. Para conforto.

> Onde quer que você esteja hoje, tenha certeza de que Deus é um Deus que redime. Ele deseja mostrar-lhe que seu dom pode ser erótico, recompensador, gratuito e belo. Mas, para desfrutar do relacionamento sexual dentro de seu casamento, você precisa jogar fora as fitas mentais que tocam qualquer mensagem que entre em conflito com a voz de Deus. Você precisa ouvir apenas a voz dele [...] E, se você pedir, ele redimirá esse maravilhoso dom em sua vida, e todas as coisas serão novas.
>
> Linda Dillow e Lorraine Pintus*

*Adaptado de *Intimate Issues*, de Linda Dillow e Lorraine Pintus, Colorado Springs, CO: WaterBrook Press, p. 6-10.

Quanto tempo leva?

Você já colocou sua máscara quando seu marido veio por trás e apalpou seus seios? Já bateu na mão dele, afastando-o com um curto “agora não!”?

Por que *não* agora?

Quanto tempo leva uma carícia nos seios? Dez segundos? Vinte segundos? Será que você não pode dar essa quantidade de tempo ao seu marido?

Sei o que você está pensando. “Dr. Leman, o senhor não entende. Se deixar que ele toque meus seios, estarei deitada de costas olhando para o teto em dez segundos. Minhas roupas serão jogadas pelo chão, meu cabelo ficará uma bagunça e terei de refazer a maquiagem. Além disso, chegarei atrasada ao trabalho.”

Você já pensou que chegar atrasada ao trabalho uma ou duas vezes por ano pode ser exatamente aquilo de que seu casamento precisa?

Muitas vezes, porém, seu marido quer apenas uma sensação rápida. Da próxima vez, surpreenda-o ao tomar a iniciativa e dar a ele essa sensação.

Existe uma enorme diferença entre a esposa que bate na mão de um homem e aquela que dá uma risadinha marota, até mesmo envolvendo-se por um ou dois minutos em carícias leves, e que sussurra no ouvido dele: "Isto é muito bom, mas infelizmente preciso muito me arrumar para o trabalho. Vamos guardar isso para a noite, quando você vai receber tudo o que quer e um pouco mais". A segunda mulher terá satisfeito seu marido, ao mesmo tempo que permaneceu vestida e com o cabelo arrumado. A primeira esposa terá desanimado seu marido e acabado com a masculinidade dele, tudo por causa de sessenta a noventa segundos.

Esse minuto é caro demais.

As dez principais maneiras de descobrir que a lua de mel acabou

10. Uma rapidinha antes do jantar é sinônimo de beber alguma coisa apressadamente.
9. Você se senta próximo à lareira apenas para se esquentar.
8. Ele está usando a mesma cueca há três dias e a mesma camisa há quatro.
7. Sua cabeça atinge o travesseiro, e você diz "Sexo". A cabeça dele atinge o travesseiro, e ele diz "Sexo". Agora que vocês já fizeram sexo, os dois vão dormir.
6. A duração média de um beijo é de um décimo de segundo ou menos.
5. A última flor que você teve nas mãos foi a do funeral do seu tio.
4. Você passou o café da manhã inteiro vendo-o ler o caderno de esportes do jornal.

3. Ele percebe que você cortou e tingiu o cabelo dezesseis semanas depois.
2. Agora você dorme a noite inteira.
1. Ele não dança mais diante de você quando sai do chuveiro.

Por que não agora?

Tenho uma notícia para você: "Os homens também têm sentimentos!". Eles são mais frágeis do que a maioria das mulheres percebe. Eles querem agradar você, e os sentimentos deles são feridos mais facilmente do que muitas mulheres podem imaginar.

Quer dar um tratamento especial ao seu marido? Da próxima vez que ele vier por trás e gentilmente tomar seu seio com as mãos, esperando que você bata nele, deixe que ele fique ali por alguns segundos. Quando ele finalmente se afastar, diga: "Ei!", com voz forte.

Quando tiver a atenção dele, diga: "Você se esqueceu do outro".

Ou, melhor ainda, leve a mão dele outro ponto favorito.

Essa será uma conversa da qual seu marido jamais se esquecerá.

Sabe, os homens *realmente* pensam diferente. Quando vejo Sande se curvando para tirar a louça da lavadora, costumo dizer algo como:

— Sabe no que estou pensando neste exato momento?

— Não, Leemie — diz ela. — Eu *não* sei no que você está pensando. Vá procurar alguma coisa para fazer.

A simples visão de uma mulher se curvando (lembre-se de minha história sobre a mulher no jogo dos Buffalo Bills) mexe com algo no fundo de um homem. Somos criaturas visuais, e recebemos estímulos visuais o dia inteiro. Combinado com a testosterona correndo por nosso corpo, isso faz que muitos de nós vivam num estado intenso de alerta sexual.

Veja outra situação. Se eu disser a mesma coisa a Sande quando ela estiver curvada sobre a lava-louças, ela pode dizer: "Leemie, o sr. Feliz tem esse hábito de ficar todo excitado sempre que não há a menor chance de ele se dar bem. Mas vou lhe dizer uma coisa: o sr. Feliz terá muito trabalho hoje à noite. Estou ansiosa por isso. Na verdade, não há nada que eu deseje mais do que isso".

Quando Sande faz isso, é muito melhor do que se tivesse cedido imediatamente! Sabe por quê? Ela está usando o poder da expectativa. Para um homem, em termos emocionais, a expectativa é ainda melhor que a participação.

Surpresa? Pense nisto. Quando tempo dura a participação? Dez minutos para uma rapidinha? Vinte minutos para uma média? Quarenta e cinco a sessenta minutos naquele dia realmente especial?

Mas a esposa que diz ao marido: "Hoje é *a* noite!", está dando a ele *um dia inteiro* de prazer. Não se passarão vinte minutos sem que seu marido pense em você, imagine você, queira você. Isso não parece maravilhoso? Fazer que seu marido tenha pensamentos amorosos e afetuosos sobre você o dia inteiro?

As palavras e ações que você escolhe são realmente importantes. Quando seu marido estiver prestes a sair de casa e vier até você para dar-lhe aquele beijo mecânico, surpreenda-o dando-lhe um beijo de verdade — aquele de limpar seus pré-molares. Então diga: "Tenho planos para você mais tarde, rapaz; portanto, volte logo do trabalho". Se você fizer isso, estará na cabeça dele o dia inteiro.

Lembro-me que, depois de alguns anos de casamento, Sande me disse: "Realmente não é preciso muita coisa para fazê-lo agir, Leman". A mulher inexperiente pode pensar: "Em que me meti?". Converso com esposas jovens o tempo todo que ficaram chocadas com a frequência e a duração do interesse sexual de seu marido. Algumas me disseram que achavam que, se simplesmente cedessem e fizessem sexo por cinco dias consecutivos, seu marido estaria "curado". Sem chance. Ele pode estar sorrindo nesta semana, mas, na semana que vem, ainda continuará interessado.

Essa mentalidade de estar "sempre ligado" dos homens não é uma conspiração; é a forma com que Deus nos criou. Lembre-se sempre disso. O próprio Deus pensou que era importante que seu marido fosse quimicamente atraído a você e o motivou a estar fisicamente próximo de você com regularidade e constância.

Como uma mulher mensura o amor? Como sabe que alguém realmente se importa com ela? Normalmente isso não acontece no quarto. Normalmente é nas pequenas coisas do dia a dia que são importantes para ela. Ela deseja o estilo de vida de afeição.

Se você deseja esse estilo de vida de afeição, satisfaça seu homem sexualmente. Então, em vez de ressentir-se de pedidos para passar no mercado ou consertar uma torneira que pinga, ele vai se levantar ansioso para satisfazer suas necessidades. Em vez de ser frio e distante quando você conversar com ele, ele vai querer ouvir o que você tem a dizer.

"Mas, dr. Leman", você pode dizer, "já tentei isso, e não funcionou".

Você não pode simplesmente "tentar" o sexo no casamento; ele precisa tornar-se um modo de viver. Um bom momento de sexo fará que o homem seja agradecido... por algum tempo. Mas, se você o afastar nas próximas cinco vezes em que ele se aproximar, ele vai pensar nas cinco rejeições, não naquela noite especial. Em virtude da constituição química do homem, o sexo lhe parece uma necessidade. Quando a mulher usar essa necessidade para manipular seu homem, ele ficará ressentido. Mas, quando ela satisfizer essa necessidade com graça e entusiasmo, ele se tornará muito grato. E mostrará isso em todas as áreas da vida com a esposa.

O homem sexualmente satisfeito é aquele que vai para o trabalho pensando: "Acho que sou o homem mais feliz do mundo. Estou tão contente por ter-me casado com essa mulher!". É o mesmo homem que volta para casa pensando: "O que posso fazer de especial para minha esposa esta noite?". E sabe de uma coisa? Ainda que tenha tido um dia difícil no trabalho, ele ainda pensará assim porque sabe para que está voltando para casa.

Dar e receber gestos sexuais pode realizar maravilhas no seu casamento. Portanto, por que *não* agora, por que *não* aqui?

Quando os papéis estão invertidos

Em 15% dos casamentos, os papéis estão invertidos. Em vez de a mulher ter a famosa dor de cabeça quando o marido quer sexo, é o homem que tem a dor de cabeça. Ele diz que está muito cansado, muito exausto e/ou está com muita coisa na cabeça. Por que isso acontece?

Na maioria dessas situações, isso se deve à visão do sexo que foi passada ao homem por meio de sua criação. Foi-lhe ensinado que o sexo é ruim, impróprio ou sujo, ou havia uma figura feminina forte em casa que o sufocou. Em essência, ele age de maneira passiva-agressiva para ver se consegue controlar você. Ele quer ouvir você implorar por sexo. Também pode estar fugindo de fazer sexo com você por causa de tendências homossexuais. Ele próprio pode ter sofrido abuso sexual, ou outro homem — um amigo ou seu pai — o apresentou à pornografia.

Se isso está acontecendo em seu casamento, peça a seu marido que busque aconselhamento. Vá com ele, se ele se sentir confortável com isso.

Você sabia que quatro em cada dez mulheres sofreram abuso? Não sei exatamente a proporção entre os homens, mas suponho que seja um em cada dez.

Quero ser bastante claro aqui. Você ou seu marido podem ter sofrido abuso sexual, mas isso não lhes dá o direito de se acomodar diante da situação. Minha pergunta é: o que você vai fazer em relação a isso? Sim, isso pode ter acontecido no passado, e seus relacionamentos podem ter sido prejudicados. Agora é sua vez de assumir o controle, de trazer mais saúde para seu relacionamento. Você terá coragem suficiente para fazer isso?

O homem que viveu com uma mãe dominadora e controladora pode não gostar de uma esposa sexualmente agressiva e, assim, faz o "jogo do cansado" quando ela quer sexo. O homem que vivenciou um amor gentil com sua mãe e que foi ensinado a respeitá-la geralmente não terá muito problema em tornar-se sexualmente íntimo com a esposa.

Ele quer agradar você

Seu marido quer fazer sexo com você para sua própria satisfação sexual. Mas muito mais do que seu próprio prazer, ele quer agradar você. Ele gosta de perceber quanto você desfruta do prazer que ele pode dar-lhe. Enquanto vê você, ele pensa: "Fiz isso a ela, muito obrigado".

Se não conseguir fazer isso, vai terminar sentindo-se incapaz, abandonado e não amado. Afinal de contas, todo homem quer ser o herói de sua esposa (leia mais sobre isso no capítulo 7).

Digo mais uma vez que nós, homens, continuamos a ser os meninos que fomos um dia. Ainda queremos agradar a principal mulher de nossa vida. Quando tínhamos seis anos, isso significava agradar a mamãe. Aos 26, 36, 46 ou 66, essa mulher é nossa noiva. Isso significa que seu homem quer ser romântico, mas talvez tenha medo de não se sair bem. De não saber o que fazer ou de vir a fracassar.

Assim, se você é esperta e compreende como é importante para um homem competir e vencer, você o ajudará. Você o manterá fascinado e satisfeito.

Vocês podem estar casados e nunca fazer sexo. Vocês podem ainda conversar durante o jantar, comemorar as festas e criar filhos, se os adotar. Podem comprar presentes de aniversário um para o outro, ter conversas íntimas e, numa emergência, compartilhar a escova de dente ou trazer um necessário rolo de papel higiênico.

Mas vai faltar alguma coisa.

Uma boa vida sexual dá cor ao casamento de cima a baixo. Elimina a monotonia e a chatice de todas as coisas corriqueiras que fazem um ao outro.

Pense nisto: 90% da vida está repleta das coisas mais chatas, como trocar fraldas sujas, limpar o chão respingado, pagar as contas, colocar combustível no carro. Muitos homens e mulheres precisam trabalhar em empregos mortalmente desinteressantes — repor prateleiras do supermercado, colocar pregos num teto ou digitar números sem fim. Cheguei até mesmo a encontrar advogados e dentistas bem-sucedidos que estavam simplesmente cheios de sua profissão, mas as obrigações financeiras os forçavam a continuar ali.

Diante desse mundo de obrigações e responsabilidades, Deus colocou uma coisa fabulosa nosso colo. No final do dia — e às vezes no começo —, quando o trabalho está concluído, as crianças estão na cama e chegamos em casa vindos do trabalho, podemos tocar, beijar e dar prazer um ao outro de tal maneira que o mundo parece estar a anos-luz de distância. Somos transportados para outro lugar e removidos para outro tempo; é um sentimento realmente glorioso.

Como desenvolver seu próprio desejo pelo sexo

Uma vida sexual recompensadora é um dos mais poderosos adesivos conjugais que um casal pode ter. Mas é comum que, entre as mulheres, os maiores inimigos do sexo sejam estar ocupada, cansada e estressada.[4]

Uma revista feminina explica melhor:

> Qual é a última coisa em que você pensa quando está ocupada, cansada e estressada? Se disse sexo, então não está sozinha. Estima-se que 24 milhões de mulheres norte-americanas digam que não têm tempo, que estão exaustas ou que simplesmente não estão a fim de sexo, e mais de um terço das leitoras da *Redbook* digam que estar cansada demais é sua principal desculpa para não fazer sexo. Assim, deixamos o sexo para depois — mas depois pode facilmente tornar-se nunca. Caso você não tenha notado, a abstinência não faz que o corpo fique mais atraente; simplesmente gera mais abstinência.
>
> Por outro lado, sexo gera mais sexo. Estudos mostram que fazer amor eleva os níveis das substâncias associadas ao desejo. Portanto, a melhor maneira de aumentar seu desejo por sexo é fazê-lo.[5]

Ter uma vida sexual boa é uma experiência muito agradável; pode unir marido e mulher como cimento, até que não haja nada que não façam um pelo outro.

Mas tudo começa com alguns cortes em sua agenda. Estou parecendo um disco riscado? Tenho falado e escrito há anos sobre o fato de a agenda superlotada das famílias estar nos matando nos âmbitos social, relacional e psicológico. Estamos simplesmente ocupados demais. Muitas famílias com as quais trabalho poderiam facilmente cortar 50% de suas atividades e ainda ficar cansadas. Isso *não* é exagero. A maioria das famílias que me procuram costuma se surpreender com o modo com que faço cortes em sua agenda.

Quando vivemos no ritmo de uma corrida de automóveis, o sexo é uma das primeiras coisas que desaparece. Mais uma vez, se você quiser melhorar sua vida sexual como casal, é preciso examinar seus relacionamentos fora do quarto. O que você faz que possa impedi-los de ter intimidade sexual?

Quando a revista *Redbook* realizou uma pesquisa em seu *site*, perguntando: "O que você faria com uma hora de tempo livre?", cerca de dez mil homens e mulheres responderam. Cerca de 85% dos homens e 59% das mulheres responderam *sexo* — ampla maioria, em ambos os casos. Apenas 12% das mulheres optaram por fazer compras ou dormir mais, seguido por assistir à televisão, exercitar-se, ler e comer.[6]

O que isso lhe diz? Se tivessem tempo extra, a maioria de vocês não correria direto para o *shopping*. Não pegaria um livro, não ligaria a televisão, nem iria para a academia. Vocês ficariam nus com seu cônjuge — e seu casamento seria muito melhor por causa disso.

* * *

"CONVERSA DE HOMEM"

Por que você quer deixar o maridão feliz?

1. Um marido sexualmente satisfeito vai sentir-se bem em relação a si mesmo.
2. Um marido sexualmente satisfeito vai encarar o trabalho com vigor e propósito inigualáveis.
3. Um marido sexualmente satisfeito fará qualquer coisa por você.
4. Um marido sexualmente satisfeito aprecia as coisas importantes da vida.

VOCÊ SABIA QUE, PARA O SEU HOMEM, sua *atitude* em relação ao sexo é mais importante do que o tamanho dos seus seios, da cintura, das coxas e o comprimento de suas pernas? A enorme maioria dos homens diz que prefere ter uma mulher menos curvilínea com uma atitude positiva em relação ao sexo do que uma mulher de cair o queixo que boicota seu marido.

Quão disposta você é?

Uma atitude positiva também significa apreciar seu marido. Isso quer dizer respeitá-lo, precisar dele e satisfazê-lo.

Se você o rejeitar, se deixá-lo ressentido ou se repreendê-lo por aquilo de que ele precisa por sua própria constituição, você o desviriliza. Mas, se satisfizer a necessidade que ele tem de sexo com grande disposição tanto em palavras quanto em atitude, você o fará sentir-se o homem mais afortunado do planeta!

Isso representa um poder enorme! Mas nosso Criador deve ter achado que você era capaz de lidar com esse poder, uma vez que projetou homens e mulheres dessa forma. Se Deus medisse sua bondade e generosidade apenas pela maneira de você tratar seu marido nessa área, o que você acha que ele diria?

Veja a seguir algumas ideias para fazer seu homem muito feliz nessa área.

Deixe que ele olhe

Minha esposa, Sande, está sempre bonita. Quando levanta pela manhã, ela está bonita. Mas, ainda assim, precisa colocar umas coisas alaranjadas no rosto para "reanimar". Um dia, depois da rotina comum da manhã, ela vestiu uma camisola branca e a seguir um suéter de tricô branco que, para meus olhos masculinos, parecia feito de uma corda branca amarrada de maneira bem frouxa. Então, disse a ela: "Adoraria ver você com isso — *só com isso* — algum dia".

Só dizer aquilo já me deixou alegre... embora eu saiba que seria bastante improvável que minha esposa modesta e primogênita me surpreendesse e fizesse tal coisa. Mas e se fizesse? Ah, rapaz! Eu seria um cara delirantemente feliz.

Seu marido foi projetado para olhar — e para gostar de olhar. O que ele gostaria de ver você usando?

Surpreenda-o!

Anne e Dave estão casados há oito anos. Nos últimos dois anos, os dois têm se esforçado para firmar seu negócio próprio. As longas horas estavam começando a valer a pena, mas Anne sabia que o estresse estava desgastando Dave. Parecia que tinham cada vez menos tempo para ficar em casa juntos.

Assim, certo dia, na hora do almoço, ela se trancou com ele no escritório particular e fechou as persianas. Ali, no escritório, fizeram um interlúdio sexual. No restante do dia, Dave estava feliz e relaxado. O fato é que ele sorriu todas as vezes que se sentou à sua mesa na semana seguinte.

Dave sentiu o que todo homem quer sentir: ser procurado e necessário. Não havia dúvida em sua mente de que a esposa gostava de estar com ele. E ele também gostou da imaginação dela!

Portanto, não seja monótona na cama. Arrisque-se a usar a imaginação e você conquistará o coração do seu homem!

O desafio, é claro, é que surpreender seu marido exige tempo, energia e previsão — algo que uma mulher ocupada demais simplesmente não tem. Mas aqui está a ironia: um homem que é respeitado, necessário e satisfeito é o tipo de homem que vai passar no mercado e comprar leite no caminho para casa quando a esposa telefonar e pedir, embora tenha de sair cinco quilômetros do seu itinerário.

Se o seu homem sentir-se amado, valorizado e surpreendido pela paixão que você tem por ele, então ele derrubará paredes por você.

Faça do sexo um assunto do dia inteiro

Algumas das melhores relações sexuais duram o dia inteiro, embora os parceiros tenham passado as dez primeiras horas do dia a dez quilômetros de distância. Falei muito sobre isso no meu livro *O sexo começa na cozinha*.

Imagine como um homem se sentiria se levantasse, se arrastasse até o banheiro, acendesse a luz e se surpreendesse com o seguinte recado escrito com batom vermelho no canto do espelho:

> Bom dia, Sr. *Sexy*!
>
> Vamos colocar as crianças na cama mais cedo hoje à noite.
>
> Tenho alguns planos excitantes!
>
> XOXOXO

Para um homem, a expectativa é tão boa quanto a participação no sexo; *sendo* assim, por que não fazer algo inusitado? Coloque uma peça de roupa íntima na pasta ou na mochila dele. Mande-lhe um *e-mail* tentador.

O sexo não é um "evento único". A preparação para ele, tanto para você como para seu marido, está na maneira de tratarem um ao outro nas pequenas coisas durante o dia inteiro.[7]

Não faça o sr. Feliz trabalhar com hora marcada

Para o desapontamento de muitas esposas, o sr. Feliz não trabalha com hora marcada. O fato é que o sr. Feliz nem sabe o que é hora. Ele também tem uma memória muito curta.

Digamos, por exemplo, que você e seu marido tiveram uma agradável, longa e descontraída sessão de amor na noite passada. Na manhã seguinte, seu marido a observa se esticando para colocar um livro na estante. É sábado de manhã, e você está cuidando das coisas da casa, de modo que não se preocupou em colocar um sutiã. Conforme você se estica, seus seios se movem de maneira provocante dentro da camiseta.

Se você é mulher, provavelmente está pensando como uma mulher: "Fizemos sexo ontem à noite. Ainda nem tomei banho. Estou usando uma roupa surrada. O fator de sedução deve ser 1, numa escala de 1 a 10". Contudo, você nota que, em poucos segundos, seu marido se levanta para dar-lhe um abraço por trás, e você logo percebe que o sr. Feliz não está exatamente "descansando". Você pensa: "O que está acontecendo aqui? Fizemos ontem à noite!".

No sexo conjugal, porém, não há placar nem competição. Para os homens, *espontaneidade* é o xis da questão. Uma vez que os homens são movidos pela visão, um olhar para uma mulher usando roupas íntimas ou saindo do chuveiro pode ser suficiente para agir como gatilho — especialmente se isso já aconteceu algumas vezes. Basta isso.

Desperte os sentidos dele

Digamos que seu marido escute o chuveiro ligado às 22h30. Só o som da água já o deixa alegre. Ele pensa: "Opa, acho que vou me dar bem nesta noite". Quando a esposa sai exibindo uma camisola nova que convenientemente mostra seus faróis, ele repentinamente se torna um menino.

— Uau! É nova?

Agora, aqui está a esposa inteligente. Olha para ele direto nos olhos, inclina-se na direção dele para que seus seios realizem sua mágica, e diz:

— Comprei só para você.

A apresentação é tudo.

Minha esposa, Sande, é mestre em apresentações artísticas. Sempre foi muito boa em mostrar coisas antigas de uma nova maneira. Ela é capaz de transformar um abajur velho numa obra de arte ao cobri-lo com o tecido certo.

Você pode fazer a mesma coisa aprendendo como se apresentar — envolvendo você mesma, seu quarto e o momento num encantamento sedutor criado especialmente para seu marido. Talvez você queira destacar os olhos, as pernas ou algo mais. Aprenda a aceitar isso como seu ponto forte e, sem inibição, exiba-o para causar um impacto total sobre seu cônjuge.

Se os seios são o seu ponto forte, compre *lingerie* que chame atenção para seu colo. Se o seu melhor argumento de venda são seus olhos, ou talvez a boca, use maquiagem que atraia a atenção do seu marido para essas características. Use o que tem para causar o maior impacto e não se preocupe com as características menos admiráveis.

O que seu marido mais quer é que você desfrute do corpo dele. Que o explore. Que se divirta com ele. Que brinque com ele. Que o toque. Que grite por ele.

Seu corpo é maravilhoso. É um dos melhores presentes que você pode dar ao seu marido. Portanto, não caia na armadilha que diz: “Mas não sou tão bonita quanto as moças que aparecem nas revistas”. Se você for generosa com seu corpo, tanto você como seu marido vão desfrutar dos resultados!

E não é apenas a visão que nos prende.

Quando era encarregado da orientação aos alunos na Universidade do Arizona, cinco moças me disseram:

— Cruzamos com dois mil rapazes no *campus* todos os dias, mas não estamos chamando a atenção de nenhum deles.

— Vocês têm uma pipoqueira? — perguntei.

Elas ficaram surpresas.

— Sim, temos. Mas o que...

— Escutem o que quero que vocês façam — disse eu. — Escolham o alojamento masculino que quiserem, estiquem um lençol e liguem a pipoqueira na tomada. Estourem algumas pipocas e espalhem sobre o lençol. Depois, façam mais pipoca e coloquem em tigelas, e vejam o que acontece.

Quando voltaram para dar o relatório, aquelas moças estavam eufóricas. Não apenas conseguiram fazer aquilo, como também descobriram diversos ursos hibernando nos andares de cima. Quando o cheiro de pipoca subiu aquelas escadas, não demorou muito até que os machos sonolentos, despertos de seu sono invernal, fossem atraídos às fêmeas sentadas no chão sobre o lençol, cercadas de pipocas, no canto do alojamento. Para um homem, o cheiro de pipoca rivaliza com qualquer perfume que você possa usar.

A história continua. Depois, os rapazes que encontraram decidiram retribuir a visita no alojamento das moças. Trouxeram uma pipoqueira e fizeram o mesmo. Tornou-se uma tradição entre aqueles grupos de alunos até que terminaram formando pares.

Tudo começou porque cinco mulheres se arriscaram a parecer um pouco bobas para dar o pontapé inicial e surpreender os homens daquele alojamento. Elas não apenas encontraram os homens em seu campo, mas atiçaram os sentidos aguçados daqueles homens.

Você sabia que uma mulher pode fazer muitos homens virar a cabeça simplesmente escolhendo o perfume certo? Os homens podem se transformar em cachorrinhos, totalmente vencidos por certos aromas.

— Quer se casar comigo?

— Mas você nem me conhece! — diz você.

— Não importa. Se você sempre cheirar bem assim, quero ser seu marido.

Diga-lhe o que é gostoso

A regra que diz que os homens são simples e as mulheres são complexas funciona em todas as facetas da vida, incluindo o sexo. O que é bom para uma mulher na noite de terça-feira não será tão bom na noite de sábado. Em razão de sua natureza, ansiosa por resolver os problemas, a maioria dos homens tem a mentalidade que diz: "Vou descobrir como isso funciona em detalhes. Então, farei a mesma coisa durante anos!". É por isso que os homens conseguem ir a um restaurante e comer o mesmo prato durante quatro anos, enquanto as mulheres, por causa de sua própria natureza, querem experimentar algo novo e levam meia hora para ler o *menu* que já viram um zilhão de vezes.

Assim, por que não ajudar seu marido a ser criativo? Ajude-o a ser bem-sucedido ao fazer amor dizendo-lhe o que é gostoso e o que não é. Ele ficará feliz com suas informações... e mais feliz ainda por não ter de arriscar-se a pedi-las nem brincar de "vinte chances para acertar; senão você está fora".

Limpe sua agenda

Vou dizer mais uma vez. Você precisa diminuir o ritmo para que possa satisfazer essa necessidade da vida de seu homem.

Como os casais começam a superar os efeitos do desgaste? Se você realmente quiser que sua vida familiar e sua vida sexual sejam mais significativas, então precisará abrir mão de algumas coisas. Chega de sair cinco noites por semana. Eu diria que, se você precisa sair mais do que duas noites por semana, algo precisa mudar. Por que não riscar algumas coisas de sua agenda?

Se você abrir espaço para o sexo, se sentirá mais disposta, seu marido será eternamente grato, e vocês dois desfrutarão mais de seu casamento.

SEGREDO NÚMERO 6

A coisa que seu homem mais teme... e como você pode estar fazendo exatamente isso, de maneira sutil

Era a segunda vez em seis meses que Jan arrastava Greg, seu marido, para um jantar do trabalho comunitário que ela realizava. Ele não aguentava mais. Pouco importava que sua esposa estivesse lhe dando "aquela olhada" por não ser sociável. Passou a maior parte da noite sentado de cara fechada, em uma mesa onde todas as outras pessoas conversavam alegres. Quando não estava à mesa, arrastava os pés até a poncheira para encher seu copo.

— O que há com você? — reclamou ela mais tarde, no carro. — Você agiu como um idiota. E me envergonhou na frente de todos os meus amigos.

Qual foi a resposta dele?

— Eu lhe *disse* que não queria ir!

O restante do caminho para casa foi feito num silêncio hostil.

Quando eu e Greg conversamos mais tarde sobre aquele episódio, ele admitiu: "Odeio me socializar. Sinto-me esquisito, solitário e envergonhado. Dirijo um caminhão de entregas da UPS, levanto cedo como um fazendeiro e trabalho várias horas seguidas. Prefiro que ela vá sozinha; fico com as crianças em casa. Gosto muito de passar esses momentos com elas. Além do mais, economizaríamos o dinheiro da babá. Mas, em vez disso, preciso passar a noite ao lado da poncheira, parecendo e sentindo-me um idiota (Observação: Entendo o que ele diz! Lembra-se da minha história, quando me senti assim?) enquanto minha esposa passeia alegremente pelo lugar, indo de pessoa em pessoa. Francamente, nem sequer gosto das pessoas com quem ela anda. Não entendo o projeto que ela realiza e, portanto, não tenho nada a dizer sobre ele. Digo a ela que não quero ir a esses eventos e que prefiro ficar em casa. Mas ela não aceita um não como resposta. Isso me deixa louco!".

Vamos encarar os fatos. Uma vez que a esposa de Greg não aceita o não de seu marido, ele se sente rebaixado ou desrespeitado. Pela resposta que deu, sua esposa disse: "Ah, mas não é isso que você realmente quis dizer. *É claro* que você quer ir comigo".

Só que Greg não queria, e, mesmo quando disse não, ela forçou tanto que ele suspirou, desistiu e foi ao evento. Ele foi sobrepujado verbalmente na luta para ir ao evento — sua esposa sempre o vencia pelas palavras. Assim, ele fez a única coisa que podia. Aceitou ir ao evento e, então, deu a ela e a todos os demais o tratamento passivo-agressivo. Embora estivesse sentado à mesa calado, por dentro estava gritando: "Não! Não! Não! Eu lhe disse que não queria vir, mas você me forçou. Você não me respeita nem aos meus desejos!".

Qual é o verdadeiro significado de *honrar*?

Honrar significa "respeitar, reverenciar, venerar".

Parte do ato de honrar seu marido implica honrar suas opiniões e seus conceitos. Significa aceitar que o não dele é realmente não, em vez de tentar transformar seu marido numa de suas amigas que desfrutariam do evento com você (como dissemos no capítulo 3). Mas isso é mais difícil do que parece para uma mulher, porque seu mundo se define como um lugar onde seu homem vivencia coisas *com* você. Você só será realmente feliz quando a experiência for compartilhada com ele. Não é bem assim para seu homem.

Ele se vê sendo arrastado para situações sociais nas quais não fica confortável, sente-se inútil e estúpido e, portanto, prefere ficar num canto durante a festa. Como Timothy, que foi arrastado para um festival de decoração de álbuns de fotografia porque sua esposa queria que ele visse quanto ela gostava daquele tipo de coisa. Passou o sábado inteiro vendo “lindos” adesivos e recortes para decorar álbuns e ajudando sua esposa com as sacolas de compras. Estava morto de tédio. A única coisa que o impediu de enlouquecer foi sonhar com a corrida de *motocross* da semana seguinte.

Antes de arrastar seu marido para esse tipo de situação, *pergunte* a ele. Depois, aceite sua resposta como a verdade. Leia seus lábios e sua linguagem corporal. Ainda que ele não diga “não” verbalmente, você pode ser capaz de ler “eu não quero ir” num queixo tenso e determinado ou nas sobrancelhas franzidas. Se determinada coisa não for a praia dele, não o force a ir. Você gostaria de trocar o óleo do carro? Retificar o cabeçote de um motor V-8? Andar de *mountain bike* pelas montanhas Rochosas? Ou quem sabe assistir a uma disputa de carros envenenados num parque? Algumas de vocês talvez gostassem, mas muitas não gostariam. Desse modo, por que arrastar seu homem para lojas de armarinhos, exposições de flores, feiras de antiguidades ou para um curso sobre “como reformar sua cozinha”?

Por que não deixar seu homem ser homem? E ser o homem que ele é? Conheço alguns rapazes que adoram cultivar orquídeas e ouvir ópera, mas que, ainda assim, são homens de verdade.

Deixe seu homem ficar em casa quando você fizer coisas que só você gosta de fazer. Honre e respeite seu homem aceitando seu não como um não verdadeiro e seu sim como um sim verdadeiro. Lembre-se: os homens são diretos e vão lhe dizer o que pensam. O problema surge quando você tenta manipular essas palavras para conseguir que ele faça o que quer que ele faça. "Ah, ele não quis dizer isso", pensa você. "É claro que ele quer ir. Simplesmente quer que eu insista um pouco mais..."

Não, ele realmente quer que você dê um tempo. (Aceite esse conselho de um cara que sabe das coisas.) Ele quer ficar em casa, colocar os pés para cima, arrotar, comer *pizza* fria do dia anterior e ter alguma paz e tranquilidade enquanto você desfruta de seu evento social. O fato é que, se você lhe der como opções limpar a caixa de areia do gato ou ir a um evento com você, qual você acha que ele vai escolher?

Honrar seu marido significa "mostrar consideração atenciosa" por ele em todas as áreas da vida. Se uma amiga lhe dissesse: "Realmente não quero comer naquele restaurante", você a forçaria a ir até lá? Por que não mostrar esse mesmo respeito por seu marido?

O que acontece em Vegas, permanece em Vegas

Senhoras, enquanto estamos falando de amigas, gostaria de compartilhar com vocês algo muito importante para nós, homens. Não gostamos de ser o assunto da conversa que vocês têm entre si. A verdade é que detestamos isso. Pelo fato de sermos tão frágeis por baixo de nossa ousadia, não suportamos ser o assunto de seu almoço: "Sabe o que ele fez?", diz você, para dar início à discussão e, então, chacoalha a cabeça, indignada, e conta tudo.

"Você deve estar brincando", diz uma amiga, rindo em seguida. "Bom, na semana passada, o Mike..."

E vocês vão em frente, contando as histórias mais escabrosas sobre nós, homens. Elas até podem ser verdadeiras, mas, ainda assim, não gostamos disso. Você ficaria feliz se, na frente de um amigo, disséssemos: "Minha esposa está com uma tremenda flacidez nas coxas"?

Sim, os homens fazem coisas estúpidas de vez em quando (tá bom, mais do que de vez em quando), mas revelá-las ao mundo nos envergonha e nos desviriliza. Seria como se alguém apontasse para a pior parte do seu corpo e não parasse de falar sobre aquilo. É assim que nos sentimos.

Pense nisso da seguinte maneira. Sempre que você conversa com sua amiga, sua irmã, sua mãe ou sua sogra sobre seu homem e a coisa idiota que ele fez, está violando seus votos conjugais quanto a ser fiel. Isso é perigoso. Assim como também o é colocar "todos os homens" na mesma categoria. Não queremos que você fale com qualquer outra pessoa sobre aquilo que é particular e que deve ficar entre o marido e a esposa.

Por sermos voltados ao desempenho, nós, homens, não precisamos de risadas sobre nosso desempenho em determinada área. Precisamos de misericórdia, graça, sua compreensão e sua crença em nós.

Assim como você precisa de que acreditemos em você.

Sim, sei que as mulheres adoram "compartilhar" (digo isso com uma ponta de sarcasmo). Sabemos que é natural para você compartilhar experiências com suas amigas. Mas você precisa pôr um zíper na boca no que se refere a seu homem. Se o fizer, ganhará e manterá a confiança de seu marido em você.

Contudo, existe uma exceção para a festa da conversa entre amigas. Se quiser falar de alguma coisa *boa* sobre nós, vá em frente.

Monica ficou exausta emocional e fisicamente quando perdeu seu bebê. Brian, seu marido, é um daqueles homens que é a bondade em pessoa, ao mesmo tempo que é um homem de verdade. Durante os primeiros três meses após o aborto, ele abriu mão de seu café da manhã quinzenal com outros dois homens de sua igreja para que Monica pudesse tomar o café da manhã com duas amigas que, por acaso, eram as esposas daqueles dois homens. Brian ficava em casa para cuidar de Michael, seu filho de dois anos, e também para limpar a casa. Pode não ter sido o tipo de limpeza que Monica faria, mas ela agradeceu muito.

— Jamais teria conseguido superar aquilo sem a ajuda de Brian — disse Monica a Sue e Keri durante o café. — Ele é o melhor homem do mundo. Meninas, fiz a escolha certa! Sei que não foi ele quem perdeu o bebê, mas ele é muito compreensivo quanto àquilo que sinto. Fico feliz por ele ser o pai de Michael. Espero que, algum dia, tenhamos outro bebê, de modo que esse bebê possa ter Brian como pai também.

Adivinhe só! Duas semanas depois, Brian cruzou com Craig, marido de Keri, numa loja de ferragens.

— Você precisava ouvir aquelas meninas conversando — disse Craig, rindo. — Acho que, pelo que ela disse, você ganhou o prêmio de Marido do Ano.

E ele o informou do que as esposas haviam conversado.

Como você acha que Brian se sentiu? Especialmente na frente de outro homem? Como alguém que ganhou um milhão!

A boa fofoca circula e pode fazer coisas maravilhosas para o peito de um homem, como deixá-lo inflado com o tipo bom de orgulho. Também pode incrementar em muito sua disposição de realizar algo, como ajudar com as coisas da casa.

Embora Brian e Monica tenham concordado que apenas ela sairia para o café da manhã aos sábados naqueles três primeiros meses, isso se tornou uma tradição em seu lar. A cada quinze dias, Brian saía com os rapazes. Nos outros sábados, Monica saía com as moças. Quem ficava em casa cuidava de Michael e limpava a casa. Nos últimos dezesseis anos, as três mulheres tiveram dois cafés da manhã aos sábados por mês, e os três homens tiveram dois cafés da manhã aos sábados por mês. Na semana passada, todos se reuniram para festejar (e chorar) a ida de Michael para a faculdade!

Portanto, se você quer fazer um pouco de fofoca, por que não fazer a boa fofoca?

Humilhado pela humilhação

Aprendi uma dura lição na época em que fui técnico de futebol americano para meninos de origem hispânica. Certa vez, mostrei ao *quarterback*, um garoto de quinze anos, como se apoiar quando recebesse a bola vinda do centro.

Ele jogou a bola em mim e gritou:

— Então faça você! — e saiu do campo pisando duro.

O que estava acontecendo ali? Ele saiu porque ficou envergonhado. Na cultura hispânica, você não chama a atenção de um homem na frente de seus colegas.

O mesmo é verdadeiro para todos os homens. É comum que, sem saber, uma mulher humilhe seu homem na frente de outros.

"Pedi que levasse o lixo para fora, e ele continua aqui."

"Por que você não limpou a garagem? Isso é trabalho seu!"

"Você se esqueceu de trazer dinheiro para casa de novo?"

Essas declarações podem não parecer nada para você, mas, se disser isso na frente dos amigos dele, vai ter um marido irritado em casa. Ninguém gosta de ser envergonhado na frente dos amigos. Você não ficaria contente se, na frente de suas amigas, seu homem dissesse: "Seus quadris estão um pouco largos ultimamente. Você não acha que deveria fazer dieta?".

Você não ficaria envergonhada... e totalmente irritada?

Nunca se esqueça daquela regra da sociedade democrática: se você tem o direito de me humilhar, então eu tenho o direito de humilhar você. E, senhoras, acreditem: nós, homens, podemos vencer na questão da humilhação.

Assim, se tem algo a dizer (por mais irritada que possa estar), espere até que você e seu marido estejam *sozinhos*.

Então, tenha cuidado com seu tom de voz; aborde o assunto de maneira branda e sem rodeios. Não aponte o dedo.

Lembra-se da história do capítulo 1, quando envergonhei minha filha por causa da roupa que eu estava usando? Sande correu um grande risco ao contar-me a verdade naquele dia. Eu poderia ter ficado bravo com ela. Mas, porque ela valoriza a comunicação honesta e aberta e porque o compromisso com a família lhe é algo muito valioso (observação: duas das três principais necessidades das mulheres estavam em ação em nossa conversa), ela optou por ser direta para me informar sobre a situação.

Ela poderia ter-me dado um sermão: "Kevin Leman, como você pôde ser tão estúpido a ponto de usar os chinelos de ficar em casa na escola de sua filha? Não percebe como envergonhou sua filha — e a mim também? Da próxima vez que passar pela porta, vou verificar seus trajes. Se você fizer isso de novo, vou...".

Em vez disso, ela me disse a verdade, nada mais que a verdade: que era importante para minha filha que eu nunca mais aparecesse daquele jeito.

Respeitar seu homem não significa deixá-lo impune (ou, no meu caso, deixá-lo sair de chinelo). Não significa suspirar melodramaticamente e dizer: "Ah, homens são homens".

Significa falar a verdade em amor.[1]

Sem insultos.

Nada de "você deveria..." ou "você tem de...".

Coisas que vão deixar seu homem muito irritado

1. Humilhá-lo na frente dos amigos.
2. Falar com outras pessoas sobre o seu relacionamento.
3. Permitir que ele ouça algo muito importante da boca de terceiros.

“Não sei consertar a privada!”

Por termos nascido competitivos e com a necessidade de conquistar e vencer, nós, homens, não queremos admitir que não sejamos capazes de fazer algo que um homem deveria saber fazer.

Desse modo, quando você nos diz: “Querido, a privada está esquisita. Acho que quebrou de novo”, a primeira coisa que queremos fazer é *tentar* consertar a privada. Saímos para a missão de conquista da privada e estamos determinados a vencer! Assim, lá vamos nós para a casa de ferragens ou de material de construção, onde passaremos várias horas conversando com os rapazes dali (enquanto você, nesse momento, precisa correr para fora, até os arbustos do fundo do quintal, porque teme que a privada transborde se você der a descarga). Arrumamos diagramas sobre privadas — ainda que não saibamos interpretá-los. Voltamos para casa armados de um arsenal completo de coisas para consertar e confiança suficiente para abater o dragão da privada.

Então, quando chegamos em casa, descobrimos que você já chamou o encanador, e ele está em casa nesse exato momento, realizando o trabalho que nós deveríamos fazer.

Como você acha que seu homem se sente? Um imprestável. Um verdadeiro fracasso. “Ela achou que eu não daria conta do recado”, pensa ele. “Nem sequer me deixou tentar.”

Karen estava esperando havia quase seis semanas que seu marido substituísse uma janela quebrada. Isso aconteceu depois de ela já ter esperado outras seis semanas para receber a janela, depois das quatro semanas em que Barry procurou o modelo certo. Sua paciência estava quase esgotada.

Naquele dia, ela conversava com Olivia, sua vizinha, sobre a frustração com a janela, quando o marido de Olivia estacionou o carro na frente de casa.

Olivia fez sinal para Ken vir até a varanda de Karen e explicou a situação. Ken deu de ombros. “Olha, vai levar só um segundo para tirar aquela janela quebrada e colocar a nova", disse ele.

Karen apontou alegremente para a nova janela, ainda embrulhada com o papel da loja, no fundo da garagem.

Depois de meia hora, Karen estava com a janela nova, e Olivia e Ken já haviam voltado para casa para jantar.

Karen estava muito feliz. "Não posso nem acreditar. Já era hora!"

Então, Dave, seu marido, chegou em casa. Antes até de colocar sua pasta no chão, Karen o puxou até a janela nova e a mostrou, com um sorriso no rosto.

Dave deu uma olhada. "Como...?"

Karen explicou como Ken, seu vizinho jeitoso, havia instalado a janela em apenas alguns minutos.

A face de Dave assumiu a aparência de uma nuvem de tempestade. E ficou assim pelo resto da noite.

"O que há com ele?", pensava Karen. "Finalmente consertamos alguma coisa aqui, e ele fica emburrado?"

Somente quando eu e Karen conversamos sobre isso, algum tempo depois, é que ela percebeu o que havia feito. "Ai." Ela estremeceu. "Não fazia ideia do quanto havia ferido os sentimentos dele ao pedir que outro homem me ajudasse. Simplesmente queria resolver aquele problema. Se soubesse naquele momento o que sei agora, não teria aceitado a oferta de Ken."

O que é mais importante para vocês, senhoras? Que um projeto seja executado? Ou esperar um pouco (ainda que pareça uma eternidade) e dar ao seu marido a oportunidade de cuidar daquilo?

"Espere um pouco, dr. Leman!", você pode dizer. "Se eu fizesse as coisas desse jeito e esperasse pelo *meu* marido, nada seria consertado em casa!"

Se essa é a sua frustração, então converse com ele sobre a situação. Use a linguagem do *eu*, em vez de usar *você*.

Tente a seguinte abordagem: "Querido, estou pensando se você poderia gastar um minuto para dar uma olhada na pia da cozinha. Há algo errado ali, e me ajudaria muito se isso fosse consertado. Você se importa?".

Abordar seu homem dessa maneira representa o seguinte:

1. Você está mostrando que valoriza e respeita a opinião dele.
2. Você está pedindo sua ajuda e dizendo que precisa dela.
3. Você está lhe dizendo que *gostaria* muito de que aquela peça funcionasse. Você está honrando a contribuição dele à família.

Se um homem for abordado dessa forma, como poderá recusar?

Veja outra dica. Antes de acrescrentar: "Ou você acha que devo chamar alguém para consertar?", deixe que ele dê uma boa olhada. Então, será mais provável que ele diga: "Quer saber, acho melhor chamar alguém".

Se um homem não consegue consertar algo sozinho, ele pelo menos quer ser aquele que vai chamar o técnico, pesquisar uma assistência técnica ou no mínimo dizer que você precisa de um técnico. Ainda que, muito provavelmente, você seja aquela que vai dar o seguimento àquele conserto.

O segredo é lembrar que nenhum homem em pleno juízo admitirá logo de cara: "Não sou capaz de consertar isso!". Ao fazê-lo, ele estaria dizendo a seu próprio ego masculino: "Sou um fracasso. Sou um perdedor. Não consigo fazer nada".

Para um homem, a ideia de consertar algo é uma metáfora da provisão que ele dá à sua família. Isso toca o cerne do que é um homem (leia mais sobre isso no próximo capítulo).

Quer seja capaz quer não, ele precisa que você — sua noiva — acredite nele.

Algumas de vocês estão pensando: "Minha nossa! Parece que a esposa precisa de um diploma de psicologia infantil para lidar com seu marido".

Ótimo! Agora você está começando a entender. Vamos em frente!

Duvidando da capacidade

Enquanto estamos no assunto de consertos em casa (é interessante destacar que muitos casais se divorciaram durante a construção ou a reforma de sua casa), quero abordar outro assunto: confiança.

Muitos homens têm jeito para mexer com as coisas de casa. Eu não tenho. Pergunte à Sande. Ela consegue ler instruções sem ficar entediada. Eu não.

Mas ontem foi uma exceção para Kevin Leman no departamento de reforma e manutenção da casa. Fiquei orgulhoso de mim mesmo. Entrei em casa radiante e gritei: "Querida! Você tem de ver isso! Consertei alguma coisa!". Suas sobrancelhas se ergueram, e por uma boa razão. Ele precisou ver para crer.

A boia de nossa piscina vazava muito. Fui esperto o suficiente para descobrir que aquele negócio precisava de uma arruela nova. Assim, lá fui eu para a casa de ferragens e voltei com duas arruelas de 25 centavos. Tirei a boia, substituí a arruela e coloquei tudo de volta. Mas o vazamento continuou. Percebi que havia outra junção cerca de três centímetros mais acima, no final daquela geringonça, e pensei: "Sabe de uma coisa? Isso deve se soltar". Então, peguei uma chave inglesa e um alicate e comecei a atacar o metal até que a peça se soltou. Encontrei outro vazamento ali, tirei a outra arruela do bolso, coloquei-a, apertei a peça e... *voilà*! Problema resolvido.

E fui *eu* quem fez aquilo.

Estava tão orgulhoso de mim mesmo por conquistar aquela boia que tive vontade de chamar meu amigo Joe e dizer: "Ei, consegui consertar alguma coisa!". Ele provavelmente teria um enfarte e cairia duro. Ele sabe como sou nessa área.

Se Sande fosse uma mulher diferente, provavelmente teria dito: "Já estava na hora, seu tonto!". Mas, sendo a mulher paciente, maravilhosa e compreensiva que é, Sande riu comigo e me incentivou a dar continuidade às minhas investidas no ramo de reparos (embora ela ainda fique desconfiada quando me vê andando pela casa com alguma ferramenta na mão...).

Muitos homens, porém, quer jeitosos quer não, são "convocados" a montar ou reformar alguma coisa em casa.

Como Paul, que ficou com vontade de reformar o banheiro como presente para a esposa pelos quinze anos de casamento. Ele queria aumentar o banheiro do corredor simplesmente removendo o *closet*. Durante os meses de dezembro e janeiro, ele consultou todos os amigos que trabalhavam no ramo. Passou noites e noites fazendo cálculos para saber quanto gastaria. Em março, estava convencido de que poderia economizar o dinheiro da família fazendo tudo sozinho. Passou dois sábados comprando e reunindo o material necessário para a tarefa.

Deu início à obra no sábado seguinte. Assim que começou a tirar os azulejos da parede que ficava entre o chuveiro e o *closet*, Sarah, sua esposa, foi dar uma espiada. "Hã, tem certeza de que sabe o que está fazendo?", perguntou ela.

A sobrancelha franzida de Paul disse muita coisa. Ele fizera toda a lição de casa, comprara os materiais e ela duvidava de sua capacidade?

O que Sarah estava dizendo a Paul por meio de sua pergunta? "Não acredito que você possa dar conta desse projeto."

Para Paul, a sensação foi de que, aos olhos dela, ele não era capaz.

Esse tratamento pode despertar a reação de um homem; o mais comum, porém, é que ele fervilhe por dentro e se torne passivo-agressivo.

Seu homem precisa saber que você *confia* nele para tomar decisões adequadas. Não se trata de dizer que ele está sempre certo, mas ele precisa saber que você lhe dá o benefício da dúvida (ainda que, secretamente, você tenha na carteira o telefone de uma empresa de consertos de emergência!).

O que seu homem mais teme no mundo

Uma mulher que sofre de falta de confiança no marido costuma ser uma perfeccionista disfarçada — uma pessoa de olhar crítico. Mesmo quando as coisas estão boas, ela precisa encontrar algum detalhe que poderia estar melhor. Está continuamente tentando saltar por cima da elevada barra da vida e, quando o faz, eleva a barra — tanto para si mesma quanto para os outros. A todo momento, ela tira sua trena interna do bolso para analisar o progresso do marido. Mesmo quando ele consegue saltar por cima da barra, ela simplesmente a eleva um pouco mais e lhe diz: "Tente outra vez". Assim, ele salta cada vez mais alto, até que o objetivo seja inalcançável e, então, ele falha.

O que acontece em seguida? Ela o rejeita. "Você é um fracassado. Como é que pude casar com você?"

Se você quiser esfaquear um homem bem no coração, basta rejeitá-lo. Aja como se ele não tivesse valor. Dê-lhe um tratamento frio. Não o satisfaça sexualmente. A rejeição é a coisa que qualquer homem mais teme no mundo. E ele teme ainda mais que ela venha de você, porque ele se importa muito com o que você pensa. Ele tem poucos amigos, mas arriscou-se a permitir que você entrasse em seu coração e em sua vida. É por isso que sua rejeição é o que mais o machuca. Em razão do fato de que gostam de aparentar estar no controle, lá no fundo têm uma preocupação: que sua fraqueza seja descoberta. Que pareçam incapazes. Que sejam rejeitados.

Você já perguntou ao seu homem: "Este vestido me deixa gorda?".

Se já, você o colocou numa situação em que ele sempre sairá perdendo. Ele não pode vencer, não importa como responda. Muito provavelmente, ficará abaixo das suas expectativas e será rejeitado. Se disser: "Você fica ótima com essa roupa", você responderá: "Você está mentindo. Sei que pareço gorda". E nenhum homem em seu perfeito juízo responderá a essa pergunta com a verdade: "Sim, você realmente parece gorda nesse vestido. Se eu fosse você, não o usaria no jantar".

Você coloca seu homem numa situação de derrota toda vez que pede que ele comente suas formas — uma área na qual as mulheres são muito sensíveis. Mas vamos encarar os fatos. Nem você nem seu homem estão com a mesma aparência de quando eram adolescentes.

Sendo assim, por que não guardar essas perguntas para suas amigas, que provavelmente reclamam das mesmas coisas?

O que é seu é dele!

Pode apostar que isso é verdade. Quando você concordou em se casar com esse homem e ficar com ele "até que a morte os separe", tudo o que era seu tornou-se dele, e tudo o que era dele tornou-se seu. Mas você pode se surpreender com o que ele considera "dele".

Isso não inclui apenas seu corpo. Inclui suas coisas — se há algo que ele queira, como seu estoque secreto de rosquinhas de chocolate —, qualquer coisa no seu prato, a chave do seu carro e a pilha de papéis e contas que você gostaria que ele não tivesse visto.

Permitir que ele reivindique "suas coisas" é um símbolo de respeito na visão de seu homem. Mais especialmente na área da comida!

Mestre da multitarefa

Já disse isso antes, mas vou repetir. As mulheres são extremamente bem dotadas quando se trata de realizar múltiplas tarefas ao mesmo tempo. Isso surpreende e intimida os homens. A verdade é que os homens podem se sentir humilhados diante da vida totalmente ocupada de sua esposa, porque a vida de uma mulher envolve uma infinidade de relacionamentos e detalhes.

Fico boquiaberto ao ver como minha esposa consegue equilibrar oito bolas no ar de uma vez sem que nenhuma delas caia ao chão. Equilibro duas coisas ao mesmo tempo e fico exausto.

Veja este exemplo. Sande é ótima cozinheira, embora, quando nos casamos, ela não conseguisse cozinhar nada. O que é ainda mais espantoso é que, quando cozinha, consegue fazer que tudo fique pronto ao mesmo tempo! Quando eu cozinho, digo às crianças: "Ok, venham todos para a mesa. Vamos comer milho". Quinze minutos depois, chamo todas elas de novo: "Ok, voltem para a mesa. As batatas assadas estão prontas". Dez minutos depois das batatas: "Ok, o frango está pronto!". Essa é minha ideia de multitarefa. Mas então existe a Sande, que coloca tudo na mesa *ao mesmo tempo... e quente também*. Como ela consegue fazer isso, ainda é um mistério para mim, mesmo depois de todos esses anos.

Mesmo quando trabalhava numa loja de departamentos e chegava em casa às dexessete e trinta, Sande conseguia fazer jantares de cair o queixo. De vez em quando, eu a surpreendia preparando o jantar. Certa noite, pensei: "Ei, o melhor prato que ela prepara é aquele filé-mignon suíno, e consigo preparar aquilo. É muito fácil". Sabia que ela despejava um tipo de caldo quando o preparava no forno, mas eu não sabia exatamente o que era. Como não queria que ela soubesse o que eu ia fazer (lembre-se: sou o bebê da família, e os caçulas adoram surpresas), não telefonei para ela a fim de perguntar.

Ao me lembrar daquele evento, penso que devia ter telefonado. Teria economizado dezoito dólares de filé-mignon suíno. Mas estava determinado a prepará-lo sozinho. E, cara, deveria ter recebido uma nota 10 pelo esforço. Dourei a peça de carne no forno, então joguei o caldo por cima, coloquei-o de volta no forno e fiquei saboreando aqueles aromas divinos.

Quando nos sentamos para jantar, sentia-me muito bem em relação a mim mesmo... até que Sande e as crianças viram minha criação. Estava... repulsiva. Sande mordiscou alguns pedaços, mas aparentemente não conseguia fazê-los descer pela garganta. As crianças olharam umas para as outras e, então, disseram rapidamente que não estavam com muita fome.

Tudo porque eu havia colocado um pacote de sopa instantânea de frango (em vez de molho de cebola) diretamente sobre o assado. Quando o tirei do forno, os ingredientes da sopa por cima da carne pareciam pequenas larvas de insetos!

Mesmo assim, comi — tudo. Os outros nem sequer tocaram no prato.

Gosto de contribuir com minha família e ajudar Sande, mas às vezes meus esforços não produzem bons resultados — como aquele filé-mignon suíno. Ainda bem que Sande tem um excelente senso de humor e entende que, para mim, como homem, é importante tentar. E não apenas tentar, mas ter certeza de que ela notou meus esforços. É por isso que, quando estou pondo a mesa, faço um pouco de barulho com os copos para que Sande saiba que a estou ajudando e me agradeça. Ainda que não seja um mestre da multitarefa, como Sande, preciso ser reconhecido por minha contribuição na família.

E seu maridão também!

O primeiro mandamento do homem

Qual é o primeiro mandamento do homem? "Não me humilharás."

Seu homem precisa ser respeitado, suas necessidades precisam ser atendidas, e ele precisa ser satisfeito. Nenhuma dessas três necessidades básicas será atendida se ele se sentir desrespeitado.

Quando são humilhados, a reação imediata dos homens é ficarem quietos. Na verdade, porém, eles estão rugindo por dentro. Você assistiu ao filme *O rei Leão* e prestou atenção na letra da música, que diz: "Na floresta, na enorme floresta, o leão dorme esta noite"?

Seu leão pode parecer dócil, deitado por perto e bocejando, ou abanando a cauda de vez em quando para espantar um inseto, mas tome cuidado para não irritá-lo. Ele pode ficar deitado ali por um instante, mas seu rugido soará *bem alto* depois. Quando menos esperar, ele pode atacar.

Danny sentiu-se humilhado por anos e nunca disse a Lauren, sua esposa, como se sentia... até que explodiu. Danny era aprendiz de eletricista, trabalhando 55 horas por semana para não deixar a família com dívidas. Quando seu filho mais novo foi para a escola, Lauren conseguiu um emprego. Ela subiu rapidamente dentro da empresa, trabalhando como *designer*. Ainda no primeiro ano de emprego, ela já ganhava o dobro de Danny. Sempre que ela trazia dinheiro para casa, ele se sentia humilhado. Lauren era agora a provedora da família, mais do que ele. No segundo ano, puderam comprar um carro melhor e mudaram para uma casa de três quartos. Seus filhos começaram a frequentar uma escola particular. Mas isso não deixou Danny mais feliz.

A gota d'água foi o momento em que ouviu por acaso seu filho Troy se gabando diante de outra criança do quarto ano no *playground*: "Minha mãe ganha mais do que seu pai!".

Danny estava quieto naquela noite durante o jantar. Depois que as crianças foram para a cama, disse à esposa que ia fazer umas coisas... e não voltou para casa.

Luta justa!

Todo casal passa por "aqueles momentos" em que as palavras saem voando. Portanto, quando vocês tiverem uma briga, que pelo menos ela seja justa!

1. Lembre-se de que brigar é um ato de cooperação.
2. Permaneça no assunto em questão.
3. Não seja um escavador de ossos, trazendo de volta coisas do passado.
4. Evite as palavras *você* e *nunca*, como em "Você nunca me escuta!".
5. Olhem um para o outro e segurem as mãos.
6. Deixe que apenas uma pessoa fale por vez. Não interrompa.
7. Quando uma pessoa tiver terminado, a outra pessoa poderá responder.
8. Depois dessa troca de ideias, forneça esclarecimentos apenas se alguma questão precisar ser esclarecida (isto é, se alguém tiver entendido errado). Não mate um cavalo morto.
9. Se as coisas esquentarem, peça um tempo. As crianças precisam do recreio, e talvez você também!
10. Não evite a questão. Depois da pausa, enfrente o problema de novo no mesmo dia. "Apaziguem a sua ira antes que o sol se ponha" (Ef 4:26).

Mais tarde, ele telefonou e deixou uma mensagem: "Estou deixando você. Você e as crianças não precisam mais de mim. Espero que todos vocês tenham uma vida boa".

Lauren ficou furiosa — e chocada. Como ele pôde fazer isso? Nunca disse nada sobre estar infeliz antes. E agora estava indo embora? "De onde vem tudo isso?", pensava ela.

Danny acabou voltando uma semana depois. Foi preciso um ano de aconselhamento com Danny e Lauren para que eles entrassem em acordo. Lauren finalmente entendeu por que Danny estava tão chateado: ela ganhava mais dinheiro que ele.

Já posso ouvir algumas de vocês dizendo certas coisas. "Mas o que há com ele? Que machista! Ele devia ter ficado feliz por poderem comprar uma casa maior e um carro melhor, além de mandar as crianças para uma escola particular."

Mas veja de onde Danny veio. Seu pai foi um indivíduo dócil que sempre "fez o que mandavam fazer". A mãe de Danny cuidava da casa... e da vida de seu marido. Aos 53 anos de idade, o pai de Danny cometeu suicídio. Tudo o que Danny recebeu dele foi um bilhete amassado em que se lia: "Eu só queria um pouco de respeito".

Danny temia que, caso sua esposa ganhasse mais do que ele, ela cuidaria da casa, e não ele.

Muitas coisas mais passavam pela cabeça e pelo coração de Danny do que sua esposa poderia imaginar!

Estaria eu sendo machista e usando esse exemplo para dizer-lhe que você deve sair do *seu* emprego, caso ganhe mais do que seu marido? De forma alguma. Ralph e Louise fizeram que essa situação funcionasse — e muito bem — por mais de 25 anos. A diferença entre os dois casais é o que está "por trás da história". Para Danny, ter uma esposa que ganhasse mais do que ele o assustava e desvirilizava. Ele não se sentia respeitado ou honrado em sua própria casa. Até mesmo seu filho sabia que o pai não estava cumprindo sua parte do acordo.

Ralph era um homem bastante confiante, vindo de um passado estável e amoroso. Ele e sua esposa saíam para comemorar todas as vezes que ele ou ela recebiam um aumento de salário!

O apóstolo Paulo falava a homens quando disse: "Cada um de vocês também ame a sua mulher como a si mesmo, e a mulher trate o marido com todo o respeito".[2]

É uma escolha interessante de palavras.

O marido deve *amar* sua esposa. E *afeição* (ou seja, amor) é uma das principais necessidades dela!

A esposa deve *respeitar* seu marido. E *respeito* é a principal necessidade dele!

O casamento consiste em colocar as necessidades do seu cônjuge acima das suas. E isso significa optar por respeitar seu marido, concorde ou não com ele. O respeito não pode basear-se no trabalho dele (ou na falta de trabalho) ou se ele é bem-sucedido (ou não), mas, sim, em quem ele é.

Seria muito bom se todos nós seguíssemos esse conselho.

Se você mostrar respeito ao seu homem, ele fará qualquer coisa por você. Você terá um parceiro leal e verdadeiro para a vida toda.

* * *

"CONVERSA DE HOMEM"

O que melhor descreve seu homem?

1. O Cavaleiro Solitário que cavalga rumo ao pôr do sol
2. Uma tartaruga enfiada embaixo de uma pedra
3. O típico homem das cavernas
4. Outra

NÓS, HOMENS, JAMAIS ADMITIMOS que estejamos perdidos, que sejamos incapazes ou que precisamos de sua ajuda. Afinal de contas, nascemos e fomos criados para ser como o Cavaleiro Solitário. Não havia um grupo de pessoas à sua volta para ajudá-lo a cumprir suas atribuições. Ele era o cara autossuficiente cavalgando rumo ao pôr do sol. Ele não parava atrás da rocha mais próxima para consultar um mapa nem para pedir orientações alguém. Ele *sabia* aonde ia (além do mais, parar para pedir ajuda teria arruinado o filme).

Dessa forma, como você consegue fazer que seu homem autossuficiente esteja na mesma pedra que você?

Amenize seu lado competitivo

Procure se lembrar do que a atraiu a ele assim que o viu. Então, lhe escreva um bilhete e reviva aquela experiência no papel. Diga-lhe quanto o respeita. "Querido, tenho muito orgulho de você por todo o esforço que tem feito nesta semana. Sei que é cansativo, mas sei que você consegue!" Se ele souber que tem o seu respeito, os sentimentos dele não serão perturbados quando, em alguns momentos, você precisar lhe dizer que não concorda com ele ou que ele estragou tudo.

Nenhum ser humano é cativante o tempo todo. Você certamente não é — especialmente naquela época raivosa do mês. Não é o momento que nós escolhemos para falar com você sobre vender a casa e mudar para os Bálcãs. Mesmo quando tem consciência de que não está sendo cativante, o que você quer do seu homem? Ser amada, certo?

O que ele mais deseja é o seu respeito. Porque isso lhe diz que ele é importante e que o papel dele em sua vida e em seu mundo também é importante.

Verbalize sua confiança nele

Não presuma que ele sabe que você confia nele. Verbalize essa confiança.

Digamos que vocês estão para tomar uma grande decisão, como uma mudança. Ele precisa ouvir o que você pensa e sente em relação a essa mudança, mas também precisa ouvir de você algo como: "Confio em você. Sei que vai analisar cuidadosamente todas as opções e tomar a melhor decisão para nossa família. Adoraria ouvir sua posição assim que quiser me contar, pois dessa forma posso seguir na mesma linha de pensamento".

É uma maneira engenhosa de dizer que gostaria de ser informada sobre aquilo que ele está pensando, em vez de vê-lo "anunciando" uma decisão para você, mas também de falar que você confia nos instintos dele e no seu planejamento cuidadoso da vida de vocês.

Você deve fazer perguntas de vez em quando? É claro que sim! Contanto que essas perguntas sejam formuladas em termos respeitosos. "Entendo o que você está dizendo e acho que está no caminho certo. Você pensou em...?" Deixe os "mas" de fora de sua conversa, e ela será menos delicada.

Se você se pegar discutindo com seu cônjuge sobre uma decisão, é hora de dar um passo para trás, pedir um tempo e abordar a questão mais tarde naquele mesmo dia (veja o quadro "Luta justa!" da página 217 para ter algumas ideias), quando for capaz de pensar em sua resposta, em vez de simplesmente reagir.

Pense nisso da seguinte maneira: você ficaria feliz se alguém discutisse com você por causa das decisões do dia a dia? Coisas como o que você deveria vestir para trabalhar, a maneira de disciplinar os filhos ou o que deveria comprar no mercado?

Seu homem precisa de seu respeito e de sua confiança nele.

Já ouviu o ditado popular que diz: "Você se tornará aquilo que as pessoas pensam de você"?

Aprenda a ler seus sinais secretos

Um homem já tem dificuldades suficientes para conversar. Adicione a isso o fato de que ele não pode ser honesto sobre seus pensamentos e sentimentos porque tem certeza de que você vai pensar: "Não é isso que ele pensa de verdade" ou vai ficar irritada diante da verdade. Por causa disso, nós, homens, assim como cachorrinhos, aprendemos qual é a resposta certa. Se nos sentarmos, se latirmos na hora certa ou se fizermos algum truque, vamos receber um presente. Se não nos comportarmos, ficaremos trancados na casinha. Não somos tão estúpidos assim, a ponto de correr esse risco!

Portanto, se você quiser saber o que realmente pensamos, leia nossa linguagem corporal. Seu homem está mexendo os pés, incapaz de olhá-la nos olhos? Então, ele se sente desconfortável com a pergunta. Ele está ainda mais preocupado em não ferir seus sentimentos. Se esses são os sinais que ele apresenta, talvez seja uma boa ideia afastar-se um pouco e dizer: "Querido, sinto muito por ter perguntado isso. Sei que coloco você numa posição desconfortável, mas a sua opinião é muito importante para mim. Quero ser atraente para você. Para mim, isso é o que realmente importa".

Então, quando ele responder à sua pergunta, aceite a resposta como ela vier. Não a interprete, não leia nas entrelinhas, não tire conclusões. Aceite-a como a verdade.

"Você está meio parecida com uma abelha nessa roupa listrada de amarelo e preto", ele pode dizer. "Você não tem alguma outra coisa que pudesse usar no jantar da minha empresa?"

Perceba que o que ele diz não tem o propósito de feri-la (a não ser que você esteja enfrentando um cara passivo-agressivo). É a pura verdade, aos olhos dele. A simples verdade.

Olhe de novo para você mesma

O que é que você disse a si mesma que jamais faria quando se casasse? Pare um minuto para refletir.

Agora, deixe-me fazer-lhe uma pergunta: você *fez* isso? Se o fez, quanto tempo se passou até que você dissesse as mesmas palavras, usasse o mesmo tom de voz ou o mesmo gesto de mãos que seu pai fazia?

A maneira de você tratar seu homem tem muito que ver com quanto você respeitava seu pai.

Veja o que quero dizer. Um pai promete à filha pequena que vai levá-la para tomar sorvete depois que voltar da loja de ferragens. A filha fica esperando na porta por duas horas. Papai finalmente chega em casa, mas está cheirando a álcool, e suas palavras saem emboladas. Naturalmente, ele se esqueceu completamente da promessa de levá-la para tomar sorvete.

Vinte anos depois, seu marido promete levá-la para jantar. Ele está legitimamente atrasado quando um pneu fura no caminho para casa. Quando finalmente chega, 45 minutos depois da hora marcada, sua esposa lhe dá o maior sermão. Ele não entende a razão de ela estar tão chateada porque não percebe que ela não está gritando apenas para ele — está gritando para seu pai bêbado.

Eventos do passado (quando você estava na terceira série ou antes disso) ajudaram a moldar suas expectativas sobre a vida e sobre como as coisas deveriam ser feitas. Você aprendeu que o mundo é um lugar seguro... ou muito perigoso. Você desenvolveu a noção de que as pessoas vão tratá-la com bondade... ou que vão traí-la e ameaçá-la. Em razão do que lhe foi feito, você aprendeu a fazer determinada quantidade de pressuposições que, agora como adulta, aceita como algo natural. Diante disso, seria surpresa que você visse seu homem pela lente das suas lembranças?

Como Cheri, que se alterava toda vez que o marido lhe perguntava: “Como foi seu dia?”. Ela nunca se esquecerá de seu pai mandando-a prestar contas — por escrito — de cada dez minutos de sua vida durante a adolescência.

O que existe em seu passado? Como você se relacionava com seu pai? Que pressuposições da infância você carrega consigo hoje?

À medida que aprender a reconhecer tendências baseadas no histórico com seu pai, você compreenderá melhor essas pressuposições não declaradas. Até que saiba quais são elas, não conseguirá modificá-las. Em casos de abuso, será preciso ter a ajuda de um conselheiro cristão que caminhe ao seu lado em busca de seu passado.

É você quem precisa iniciar esse olhar para seu passado. Ninguém pode dar início a esse processo em seu lugar. É você quem tem de descobrir, avaliar e então propor um plano de mudança de sua reação atual.

Você precisará ser paciente consigo mesma, pois as mudanças não acontecerão da noite para o dia. Mas sempre que for tentada a responder ao seu homem como se ele fosse seu pai e quiser descontar nele, pare e respire. Pense: "Ele não é meu pai. Ele merece o meu respeito".

Peça ajuda a Deus para colocar o passado de lado de modo que possa prosseguir com confiança, amando seu marido e satisfazendo as necessidades dele.

Esforce-se para que haja respeito mútuo em seu lar

Em Efésios 5:21, o apóstolo Paulo propõe a melhor regra para o casamento que alguém poderia sugerir: "Sujeitem-se uns aos outros, por temor a Cristo". Em lares bastante tradicionais ou religiosos, cria-se muita confusão em cima de Efésios 5:22: "Mulheres, sujeite-se cada uma a seu marido, como ao Senhor". Mas é comum que o versículo 21 seja pulado. Por que isso acontece?

Estou convencido de que isso acontece porque muitas pessoas interpretam erradamente o que o versículo 22 quer dizer. Adicione o versículo 25: "Maridos, ame cada um a sua mulher, assim como Cristo amou a igreja e entregou-se por ela", e você terá uma ideia melhor e mais ampla do significado da passagem.

Nos lares que prevalecem, a submissão é mútua; o respeito também. As duas partes concordam que são iguais aos olhos de Deus e aos olhos um do outro, mas que também são diferentes um do outro. Igual não significa ser a mesma coisa.

Deus concedeu habilidades singulares a cada um de vocês, e é isso que forma um casal. Isso certamente torna a vida excitante!

O casal que se esforça para alcançar respeito mútuo criará um tipo de ambiente em seu lar no qual todos se sentirão seguros para expressar seus sentimentos. Vocês não precisam concordar, mas de fato precisam ouvir um ao outro sem interromper. E precisam respeitar o pensamento e a emoção por trás das palavras, ainda que tenham um ponto de vista diferente. Quando tal atmosfera é estabelecida, o respeito mútuo reina na família, e todos são beneficiados.

Faça do seu lar um refúgio

1. Use comunicação não ameaçadora. Erguer a voz (um jeito educado de dizer "gritar") não é tolerável.
2. Deixe a aspereza e a rispidez de fora do seu tom de voz.
3. Valorize a opinião e os pensamentos dele, ainda que não sejam tão bem expressos quanto os seus.
4. Pare de trabalhar e olhe-o nos olhos quando ele tiver algo a lhe dizer.
5. Deixe que ele expresse seus sentimentos, mesmo quando eles não forem tão refinados ou quando forem expressos de maneira mais rude do que você gostaria.

6. Escolha as batalhas com cuidado. Algumas coisas pequenas não são dignas de sua luta.
7. Riam juntos... muito.
8. Orem um pelo outro, e orem juntos.

Comemore os sucessos dele, ainda que pareçam pequenos para você

Agradeça seus esforços, ainda que as coisas não saiam como você gostaria. Dê-lhe um incentivo na primeira vez em que trocar uma fralda. "Oh, querido, você conseguiu! É complicado colocar essas fraldas na posição certa, mas você conseguiu! E veja como ela está feliz. Que grande papai você é!"

Para você, pode parecer pouca coisa ele trocar uma fralda num dia qualquer, ao voltar do trabalho, mas, para ele, é muito. Ele está contribuindo para a família e fazendo isso de um jeito totalmente distinto de sua experiência. Posso lhe garantir que a maioria dos homens não faz ideia de que você *nunca* verifica uma fralda por trás, a não ser que queira ficar com os dedos manchados de mostarda!

Se você fizesse algo fora de sua área de experiência, como gostaria de ser tratada?

Mais uma vez, tudo remete à Regra de Ouro: "Trate os outros como você gostaria de ser tratada".

Isso é que faz o casamento andar.

SEGREDO NÚMERO 7

Por que seu homem deseja não apenas ser herói, mas ser o seu herói

Se você fizesse uma lista dos seus heróis da vida real, quem estaria nessa lista?

Nunca me vou esquecer dos bombeiros correndo para as chamas no World Trade Center e no Pentágono em 11 de setembro de 2001. Eles arriscaram a vida para salvar outros, pessoas que nem mesmo conheciam, e muitos deles morreram naquele dia. Sim, aqueles homens estavam num trabalho que os chamava a arriscar a vida, mas naquele dia — e nos dias que se seguiram — os bombeiros da cidade de Nova York foram muito além de suas obrigações.

Houve outras pessoas. Todd Beamer, por exemplo, que sabia que ia morrer por causa de sua ação, mas optou por investir contra os terroristas no voo 93 da United Airlines — o único avião conduzido por terroristas que não atingiu o alvo desejado. Será que Todd acordou naquele dia dizendo: "Hoje serei um herói"? É claro que não. Ele entrou naquele avião achando que seria uma viagem comercial comum. Contudo, suas últimas palavras na terra — "Vamos nessa!" — tornaram-se o grito de guerra de uma nação.[1]

Lembro-me de ter virado para minha esposa naquele dia, enquanto estávamos sentados e horrorizados, e haver dito com a voz embargada: "Olha, esses são *homens de verdade*".

Aqueles homens (e mulheres) fizeram o sacrifício supremo. Derrubaram paredes para resgatar pessoas tendo pouca ou nenhuma noção do risco que corriam. Arriscaram sua própria segurança física a bordo de um avião para colocar outros em primeiro lugar.

Senhoras, têm alguma ideia de quanto seu marido deseja ser seu herói? De quanto ele *precisa* ser seu herói? Por você, ele derrubaria uma parede com vontade e não se preocuparia com o perigo que ele mesmo estaria correndo.

O desejo de ser seu herói é o que motiva seu homem. É o que o faz trabalhar longas horas e suportar o trânsito pesado na ida e na volta. É por isso que ele pega um avião toda quartas-feira e só volta na sexta-feira. Existem limites da dedicação dele à empresa. Mas a você? Se ele se sentir respeitado, necessário e satisfeito por você, não há nada que o detenha. Ele faria qualquer coisa. Ele morreria por você.

Porque isso é o que um homem de verdade faz... e como ele se torna um herói aos olhos da mulher que ama.

Ele quer ser seu James Bond particular

Se você já viu algum filme de James Bond, então sabe o que esperar. Mesmo diante da aventura, do perigo e da conspiração, James Bond sempre tem tempo para cortejar uma mulher. E suas mulheres não são criaturas delicadas também. A maioria delas se garante sozinha — e coloca você no seu devido lugar.

Sei do que estou falando. Adoro famílias ítalo-americanas. Cresci junto a muitas delas em Nova York. Os homens podem dar a aparência de que dirigem a família, mas a realidade é que as *mulheres* é que mandam. Elas simplesmente deixam que eles pensem que mandam!

Existe um conceito errado, aceito por muitas pessoas, de que os homens desejam mulheres indefesas. Rhonda caiu nessa armadilha. Tinha 38 anos, era solteira, mas queria se casar. Durante dez anos, ela quis comprar uma casa — uma casa amarela — e plantar um jardim. Ano após ano, porém, ela continuava em seu apartamento, pois tinha medo de que, se parecesse muito autossuficiente, nenhum homem ficaria com ela. Ela achava que eles se assustariam diante de sua independência.

Mas um homem saudável não deseja uma mulher indefesa. Ele deseja uma mulher capaz, que tenha senso de independência e autossuficiência, mas que ainda assim seja vulnerável e precise ser resgatada de vez em quando.

Ele quer ser seu James Bond particular, que salta de edifícios altos por você e que corre ao seu encontro para resgatá-la. Ele precisa que você dependa dele. Ele quer ser seu provedor. Ele clama por respeito e admiração. E, sim, ele quer que você lhe responda sexualmente com o fervor de uma mulher de James Bond. Ele quer que você se excite *e* seja excitante na cama.

Seu homem talvez não seja o maioral no trabalho, pode ser que não tenha o carro mais veloz, quem sabe está perdendo o pouco que achava que tinha para começar, seu cabelo pode estar diminuindo enquanto sua barriga está crescendo, mas, se sua querida o amar sem restrições, ele se sentirá jovem de novo. Ele vai conquistar o mundo — aquele chefe problemático, um desafio vocacional difícil ou aquele mercado de trabalho aparentemente fechado — e mais de uma vez. O homem pode ser rejeitado por vinte empresas, mas, se tiver uma esposa amorosa em casa, ele vai se retirar todas as noites, após o dia de busca de emprego, para sua ilha de amor particular. Ele será suficientemente recarregado para levantar-se no dia seguinte e visitar outras vinte empresas.

A satisfação que ele obtém no trabalho não chega nem aos pés do vigor emocional que as palavras: "James, amo você... preciso de você..." produzem nele.

Como John Eldredge diz: "Não há nada tão inspirador para um homem quanto uma mulher bonita. Ela vai levá-lo a atacar o castelo, matar o gigante, pular a balaustrada... O homem quer ser o herói da bela".[2]

Às vezes ele anda sobre a trave de equilíbrio... e cai

Fico maravilhado sempre que assisto às competições de ginástica olímpica. Como é que as moças conseguem subir e realizar todos aqueles exercícios numa trave que tem a largura de uma caneta? As ginastas possuem equilíbrio, força e determinação extraordinários. Meu corpo dói só de olhar os rapazes nas argolas segurando o corpo inteiro com a força dos braços!

Mas até mesmo os heróis de verdade sofrem derrotas na vida e caem da trave de vez em quando. Às vezes seu herói da vida real precisa de sua ajuda e incentivo para voltar.

Na semana passada, recebi uma ligação de um homem desesperado de 54 anos. Depois de sua empresa ter feito cortes e de ter perdido o emprego, ele passou três meses procurando se recolocar e, nos últimos seis meses, dirigiu um *trailer* pelo país. Naquele período, ele viu seus filhos por apenas catorze dias. Ele e sua família estavam simplesmente tentando sobreviver. Lá no fundo, ele sentia vergonha porque sua esposa havia procurado a bolsa de auxílio-alimentação do governo. "Fico pensando se vale a pena continuar a viver", disse ele. "Não consigo nem mesmo prover às necessidades de minha família."

Bill e Kristine casaram-se já com idade. Ambos estavam na casa dos cinquenta anos e tinham dois filhos adolescentes. Kristine trabalhava em tempo parcial, como professora, e o emprego de seu marido pagava as contas. Então, ele perdeu o emprego e teve dificuldade para encontrar outra posição por causa da idade. Kristine passou a arcar com as despesas. Arrumou um emprego de professora em tempo integral e conseguiu um plano de saúde também. Mas seu marido estava arrasado. Sua família não poderia viver apenas com o pequeno salário dela; ele mal cobria a prestação da casa.

Conseguiram dar um jeito durante três meses lançando mão de sua pequena poupança. No quarto mês, porém, a geladeira e a despensa estavam vazias.

Certa tarde, Evan e Rebecca, amigos deles, apareceram com um carro cheio de compras. Bill, um cara durão e atarracado, colocou-se à porta e chorou. "É muito difícil para mim receber essas coisas", disse ele. "Nunca pedi caridade. Não sou vagabundo. O que posso fazer por vocês?"

Você pode notar que Bill *precisava* fazer algo pelos amigos que o ajudaram. Eles lhe deram mantimentos, mas ele precisava fornecer algo em retribuição. Assim, naquela tarde, ele foi até a casa de Evan e Rebecca e ajudou Evan a cortar uma árvore no quintal dele que havia caído durante uma tempestade. Ao final da tarde, a árvore estava cortada em forma de lenha para a lareira. Outra mudança também havia acontecido. Em vez de uma aparência de derrota, Bill estava sorrindo. Havia um novo ritmo em seu andar.

Dois dias depois, Kristine ligou para Rebecca e disse: "Obrigado por devolver a Bill sua masculinidade. Ele está sorrindo de novo e decidiu procurar emprego em outra área".

Hoje em dia, a vida é incerta. Um homem que conheço trabalhara por 25 anos numa famosa rede de produtos eletrônicos, até que a empresa fechou uma grande quantidade de lojas em razão da forte concorrência. Imagine só: você passa um quarto de século numa empresa, a loja fecha e você não está mais empregado! A empresa simplesmente avisou milhares de pessoas, por *e-mail*, que elas não faziam mais parte da empresa.

As perguntas que uma mulher faz a si mesma todo dia:

- Ele me ama?
- Ele me ama?
- Ele me ama?

As perguntas que um homem faz a si mesmo todo dia:

- Ela me respeita ou acha que não faço nada além da obrigação?
- Ela entende quanto preciso ser seu herói?
- Ela sabe quanto me sinto satisfeito quando posso prover minha família com aquilo que quero — e como me sinto ferido quando não consigo fazer isso?

Quando a vida joga uma bola ruim para seu homem, a quem ele procura? Os amigos dele? O time de futebol ao qual ele tanto gosta de assistir? Não, ele se volta para você. Mas, se você estiver ocupada demais para ouvir aquilo que ele tem a dizer, ou assustada demais para ouvir aquilo que ele tem a dizer (porque você pode estar pensando: "Ele quer mudar de emprego? Mudar de cidade? Não posso pegar as coisas e sair assim!"), ele vai se enfiar no seu trabalho. O pior de tudo é que você vai deixar de ver o coração do seu herói.

Para um homem, é fundamental saber que, embora seja incapaz em algumas coisas, ele ainda tem seu respeito e sua crença nele como o provedor. Um homem obtém seu prazer psicológico ao ser o provedor de sua família — isso é parte do impulso dado por Deus que precisa ser satisfeito.

É por isso que um homem, muito mais do que uma mulher, teme perder ou mudar de emprego. A mentalidade de Cavaleiro Solitário é tão forte que ele se sente como que perdendo a masculinidade ao admitir que está "perdido" — tanto no caminho que está fazendo, em sua carreira, no relacionamento com você ou em qualquer outra área da vida.

É por isso que há mais mulheres procurando aconselhamento do que homens. É preciso muito tempo e bastante humildade para que um cara diga: "Preciso de ajuda!". É por isso que você, o amor da vida dele, precisa oferecer-lhe aquele empurrão gentil na direção da cura.

Essa cura começa com sua crença nele e sua confiança inabalável de que, mesmo nos momentos mais difíceis, ele e você conseguirão seguir adiante.

Ele precisa de sua confiança total

De vez em quando, escuto a rádio Top 40 da cidade de Tucson. Certa manhã, ouvi um programa que eles chamam de *A guerra das rosas*. É uma pegadinha na qual um funcionário da rádio liga para um homem, diz que eles estão dando flores de graça — sem compromisso — e pergunta para quem as flores devem ser enviadas. A pegadinha é que a esposa ou namorada do homem está ouvindo a ligação. Ela não confia nele e quer saber se ele a está traindo.

— Tudo o que você tem que fazer — diz o funcionário da rádio — é nos dizer para quem devem ser enviadas as flores... e recomendar nosso serviço maravilhoso.

Naquela manhã em particular, o programa havia ligado para um marido.

— Ótimo! — disse ele. — Mandem para minha secretária.

— Você sabe que são rosas vermelhas, não? — pergunta o funcionário. — Rosas românticas?

— Tudo bem — disse o marido. — Hoje é o aniversário dela, de modo que será perfeito.

— Muito bem, senhor. O que o senhor gostaria de escrever no cartão?

— Coloque apenas "Feliz aniversário"... só isso.

— Espere um pouco! — grita a esposa do homem que ouvia a chamada no estúdio da rádio. — Você não vai mandá-las para mim?

O marido estava compreensivelmente confuso sobre a voz e de onde ela vinha. Assim, respondeu:

— Não, por favor, mande-as para minha secretária. Obrigado.

A mulher ficou furiosa. Pegou o telefone e disse:

— No meu aniversário, você não me manda flores. E agora, mesmo quando são de graça, não vai me mandar! O que há com você?

Nos dez minutos seguintes, a esposa o acusou de ter um caso, ralhando com ele por não lhe ser afetuoso e acusando-o com frases como: "Você é igualzinho a todos os outros homens que conheci. Seu fracassado!".

Depois de sua longa crítica, como o homem respondeu?

— Você sabe que nós simplesmente não fazemos essas coisas. Como dar flores um ao outro.

Ele era um cara normal — meio *nerd*, mas um marido trabalhador, responsável e leal, que tinha um bom emprego e sustentava bem sua família. Em certo momento, ele disse que precisava voltar ao trabalho e terminou dizendo o seguinte:

— Amo você. Precisamos conversar sobre isso mais tarde.

E desligou.

Não faço ideia de como ele amava aquela mulher. Ela era uma figura.

Finalmente, depois de mais discussão, a mulher admitiu ao pessoal da rádio que estava tendo um caso e que achava que seu marido também tinha.

Em resposta àquela conversa, os ouvintes da rádio ligaram e reagiram com frases como: "O que há de errado com essa mulher?".

Dia após dia, o marido agia quietamente como um herói, sustentando aquela mulher que não o apreciava e não tinha confiança nele.

Tive vontade de chorar, pois, sem confiança, não há como existir um relacionamento.

Mas existem casais como Kaye e Rich. Kaye está presa a uma cadeira de rodas há três anos em razão de esclerose múltipla. Rich gosta muito de andar de bicicleta e jogar pingue-pongue. Entregou sua carta de demissão ontem. "Quero passar mais tempo com Kaye", disse Rich a seu chefe. "Ela é minha razão de viver."

Existe tamanha confiança, lealdade, honra e respeito em seu relacionamento, mesmo em meio à doença de Kaye, que todos aqueles que presenciam suas doces interações ficam maravilhados e percebem quanto são felizes.

Ele é herói todos os dias

Estava tomando meu café em casa certo dia e escutei a conversa entre minha esposa, Sande, minha filha Krissy e Debbie, minha assistente. Conversavam sobre sair para almoçar juntas.

— Estou saindo — disse a elas enquanto me encaminhava para a porta para trabalhar. No caminho, porém, passei por acaso diante do restaurante onde elas almoçariam. De repente, num estalo, entrei e fui conversar com o *maître* uma moça.

— Minha esposa virá almoçar aqui lá por meio-dia e meia. Ela fez reserva para três adultos e um bebê. Gostaria de pagar o almoço delas — anunciei.

O *maître* olhou para mim como se eu tivesse um parafuso solto.

— Gostaria que você passasse meu cartão enquanto estou aqui para que eu possa pagar o almoço delas. Depois, diga-lhes que o almoço já está pago.

— Muito bem — disse o *maître* enquanto passava meu cartão na máquina. Continuou a me estudar como quem diz: "Você está em seu juízo perfeito?", enquanto esperava o processamento de meu cartão.

Naquele momento, uma garçonete a chamou. As duas mulheres começaram a conversar. Sessenta segundos depois, a garçonete veio a mim. O bloco de pedidos estava encostado no peito e lágrimas escorriam por sua face.

— Oh, acabei de saber o que o senhor está fazendo e precisava lhe dizer: isso é tão gentil!

Arrastei os pés (é o jeito masculino de agir quando não se sabe o que dizer).

— Achei que seria bonito cuidar da minha querida.

Somente alguns quilômetros à frente é que me toquei: aquela garçonete provavelmente nunca experimentou afeto ou amor em sua vida. É bem provável que não tenha tido um pai ou um homem que a tenha amado como ela era. Talvez tenha sido essa a razão de minha atitude tê-la afetado tanto.

Há tantas coisas no casamento que consideramos corriqueiras, não é?

Os heróis podem realizar coisas grandes — como resgatá-la de um edifício em chamas. Mas também fazem coisas menores. Como dar todos os telefonemas para o conserto do seu carro. Ou limpar a gaiola do seu passarinho (mesmo quando ele nem mesmo gosta de pássaros) para lhe aliviar a carga. Ou comprar seu sal de banho preferido "apenas" porque achou que você gostaria de tomar um banho relaxante depois de cumprir um prazo apertado. Ou ligar para a seguradora do carro pela segunda vez naquele mês depois de você ter arranhado o mesmo poste. (Se eu conseguisse fazê-la parar antes de atingir alguma coisa, pouparia muito dinheiro.) Ou levar sua filha para brincar de tiro ao alvo no vizinho para dar-lhe tempo de se preparar para a festa de aniversário surpresa da filha.

Ele vai comparecer aos jogos do filho. Vai levar sua filha à loja de animais para comprar outro peixe quando o dela morrer. Vai à farmácia às 22 horas para comprar remédio para suas cólicas e absorventes para aquela época do mês quando você tiver ficado sem eles. (E vai orar o tempo inteiro pedindo que ninguém na farmácia grite para o outro "Qual é o preço do Tampax?" quando ele estiver na fila do caixa.)

Ele também será o dirigente dos funerais da família. Em nossa casa, já sepultamos quase tudo que você possa imaginar, incluindo cachorros, peixes, gatos e roedores. Um pai me disse: "Eu não via problema algum em me colocar diante da privada para dar ao peixe um sepultamento no mar com uma descarga solene de despedida até o dia em que vi minha filha com olhos vermelhos e chorando. Aquilo me fez ir ao quintal e procurar um lugar digno de sepultamento. Fizemos até uma cruz com gravetos e elástico para colocar sobre a sepultura do peixe".

Seu herói é honrado ao ajudar em momentos emotivos como esses e fica feliz por ser o guardião das emoções que você e seus filhos (especialmente sua filha) sentem.

Se você satisfizer as necessidades básicas dele e encher seu tanque de amor, ele será o homem mais feliz do planeta. Será de aço por fora, protegendo-a física e emocionalmente, e de veludo por dentro, suave com você, terno com as crianças e intimamente envolvido na vida de sua família.

Ouça as palavras do apóstolo Paulo em Efésios: "Maridos, ame cada um a sua mulher, assim como Cristo amou a igreja e entregou-se por ela".[3] Para um homem, isso significa: "Eu morreria por você. Serei seu herói. Vou protegê-la. Vou compartilhar de suas preocupações, seus temores e suas lágrimas (ainda que nem sempre os entenda)".

Os homens reais são... bem, reais

Os homens reais resmungam, brigam e discutem com você. Ficam zangados quando você deixa a porta da geladeira aberta... mais uma vez. Suspiram quando você raspa o carro na porta da garagem.

Às vezes fingem que estão dormindo — especialmente no meio da noite, quando o bebê chora. E, em outras noites, dizem, magnânimos: "Não se preocupe, vou levantar e embalar o bebê".

Não percebem coisas durante muito tempo. Durante o verão, minha esposa comprou uma fonte decorada com anjos. Ela ficou ali o verão inteiro porque precisávamos da ajuda de alguém para pendurá-la numa parede externa da casa.

Num dia de setembro (final do verão, portanto), ao chegar em casa, Sande me saudou entusiasticamente. Suas mãos estavam entrelaçadas numa posição de prece devota, logo abaixo do queixo, e batia os pés no chão como se estivesse realmente animada (era isso ou ela precisava muito usar o banheiro e eu estava na sua frente). Levando as mãos para um lado do rosto, apoiou a face sobre elas, como se fossem um travesseiro, e suspirou feliz:

— Você viu? O que achou?

— Hã, do que você está falando? — disse eu.

— A fonte!

— Não vi a fonte.

Sande me deu aquela olhada.

— Como você não viu a fonte?

Ela me conduziu até o lugar onde estava a fonte. É, eu realmente não notei. Não sei exatamente como, uma vez que ela tem 1,8m de altura e quase 1,5m de largura. Mas tenho certeza de que a teria notado se Sande a tivesse colocado na parede ao lado daquela figurinha do jogador de beisebol Mickey Mantle. Então, eu teria percebido todos os seus detalhes!

A maioria de nós, homens, é desafiada pela decoração. Somos daltônicos. Temos alergia a lavagem de roupa.

Ouvimos alegremente os segredos do seu coração, mas às vezes nossa resposta é simplesmente um resmungo. (Contudo, isso não significa que não ouvimos as palavras que você disse.)

Se você nos respeitar, se precisar de nós e nos satisfizer, vamos brincar de monstro todas as noites com as crianças e adoraremos fazê-lo. Mesmo que não tenhamos um bom salário no emprego ou se não estivermos felizes naquilo que fazemos, vamos pegar as crianças e fazer de conta que as estamos temperando com sal e pimenta. Então, vamos fingir que damos uma mordida na barriga delas como jantar.

A mulher que ouvir e observar isso estará sorrindo, dizendo a si mesma: "Sou muito feliz por ter-me casado com esse homem desprovido de cobertura capilar. Ele ganhou dez quilos, e isso não importa. Ele certamente me ama e às crianças!".

Sabe, algo maravilhoso acontece quando você satisfaz as três necessidades principais de um homem. Esse homem se dispõe a levar uma bala por você. Vai defender seu território e defender você... sempre.

Mas ele também vai *viver por você*. Vai passar o aspirador de pó na casa, sem você pedir, quando sua mãe chegar para aquela visita de "surpresa". Ele vai querer ouvir o que há no seu coração. Vai querer saber quais são seus mais profundos desejos... além de querer satisfazê-los. Vai querer agradá-la — a pessoa mais importante da vida dele — de toda maneira possível.

Ele será um homem como Dennis, meu genro. Quando duas irmãs de Sande e minhas filhas Krissy e Holly decidiram fazer um "programa de irmãs" e ir ao jogo da Universidade do Arizona juntas, Dennis ficou tomando conta de Conner (quase três anos de idade) e Adeline (um ano). Eu estava voando naquele dia, de modo que só mais tarde me encontrei com Sande, Dennis e os netos. Quando vi Adeline, não pude deixar de notar que ela tinha pêssego espalhado pelo rosto inteiro, até no nariz. Era fácil dizer que Dennis passou algumas horas interessantes enquanto mamãe esteve no jogo. Mas os três estavam sorrindo e felizes.

Pude dizer naquele dia que Dennis estava exausto de ser pai. Mas estava fazendo um excelente trabalho ao equilibrar as múltiplas tarefas de cuidar de dois pequeninos bastante ativos.

Não pude deixar de olhar para ele e pensar: "Aqui está um dos heróis da próxima geração. Rapaz, Krissy sabe como escolher um homem, não é?".

Bem diante de mim, vi um herói do cotidiano em ação. E tive muito orgulho dele... ainda que o rosto de minha neta precisasse de uma boa limpeza!

* * *

"CONVERSA DE HOMEM"

Um herói de verdade

1. Age por amor, colocando os outros acima de si mesmo.
2. Considera você como uma parceira igual, mas com talentos distintos e maravilhosos.
3. Apoia e não tem ciúme do sucesso de sua família.
4. É sempre coerente — não apenas no quadro geral, mas também nas pequenas coisas.

A SOCIEDADE NOS DIZ que a mulher é a peça principal do casamento. É ela quem reúne tudo e todos. Mas as pesquisas dizem que a família caminha de acordo com o homem.

Como se faz um herói... e sua heroína

Seu homem precisa ser seu herói. E ele precisa que você seja a heroína dele. Veja como transformar o sonho dele em realidade — e, em consequência, o seu também!

Reformule sua perspectiva

Gostaria de fazer-lhe uma pergunta — uma pergunta inicial bastante estranha. Se você soubesse que está com câncer de ovário em estágio 4 e tivesse pouco mais de seis meses de vida, como viveria seus últimos dias?

Meu palpite é que as minúcias da vida perderiam a importância. A decoração da festa da primavera não seria mais importante. As coisas que precisam ser concluídas daqui a um mês deixariam de ser sua principal prioridade. A classe da escola dominical na qual você lecionaria no próximo trimestre simplesmente sairia de sua lista de coisas a fazer.

Que perguntas lhe passariam pela mente sobre o relacionamento com seu homem?

1. O que preciso lhe dizer antes que seja tarde demais?
2. A que eu disse não e a que precisava ter dito sim?
3. Se eu morrer amanhã, ele saberia que o amo, ou ficaria apenas imaginando?

Depois de refletir sobre as perguntas anteriores, pergunte a si mesma: "De que maneira poderia incorporar à minha vida aquilo que aprendi até agora? O que faria diferente? Como minha vida deveria mudar para refletir essas prioridades?".

Três semanas atrás, quando eu estava em Tacoma, falando numa conferência, uma mulher aproximou-se de mim no final de uma sessão de autógrafos. "Gostaria que você soubesse que realmente chamou minha atenção na noite passada. Hoje de manhã, você selou o acordo." Ela inclinou a cabeça. "Tinha todos os planos para minha rota de fuga. Assim que meu marido saísse para trabalhar na sexta-feira, uma empresa de mudanças encostaria o caminhão à minha porta. A casa estaria vazia antes de meu marido voltar do trabalho. Deixaria apenas um bilhete para ele dizendo que havia ido embora. Mas você me deu esperanças para tentar de novo."

A vida é muito curta. Não espere. Por que não reformula sua perspectiva agora, enquanto ainda tem tempo?

Que tipo de líder?

Com isso em mente, que tipo de líder é o seu homem?

____ Amoroso, mas firme
____ Ditador
____ Não é líder de forma alguma. Está mais para pateta.

Se você marcou "Amoroso, mas firme", existem boas chances de que seu marido tenha crescido num lar onde havia igualdade social entre homem e mulher, mas cada parceiro agia de maneira diferente. A mãe sentia-se confortável em seu papel de mulher; o pai estava confortável em seu papel de homem e exercia liderança amorosa. O pai dele provavelmente era seu herói e tinha um bom relacionamento com a mãe, que se transferiu para a maneira de ele tratar você. Seu marido possui um bom entendimento de Efésios 5:21: "Sujeitem-se uns aos outros, por temor a Cristo".

Seu casamento está em ótimas condições! Cada um de vocês possui habilidades e tarefas específicas e ambos confiam que o outro as realizará. Pelo fato de ambos estarem confortáveis com quem são, vocês não enfrentam o "clima de competição" vivido por muitos casais.

Se você marcou "Ditador", há boas chances de que seu marido tenha crescido num lar onde papai mandava no galinheiro com mão de ferro. Mamãe estava presa entre papai e os filhos, e a opinião dela não valia muita coisa. Ela era sempre voto vencido, e você também. O único que importava era papai (quando estava em casa). Seu marido provavelmente não via a hora de sair de debaixo do controle do pai... mas então tornou-se igual a ele quando se casou com você — ou até pior, quando as crianças estão envolvidas. Sua tradução de Efésios 5:21 é: “Submeta-se, mulher, porque sou o rei todo-poderoso desta casa, e minha palavra é lei!”.

Se esse é o seu homem, então você precisa aprender a lutar por aquilo que considera certo. O casamento deve ter submissão *mútua*, onde cada um pensa primeiramente naquilo que é melhor para o outro. Seu homem pode — e provavelmente vai — se irritar se você se impuser. Mas você precisa respeitar-se o suficiente para não ser capacho dele.

Se você marcou: “Não é líder de forma alguma. Está mais para um pateta”, existem boas chances de que seu marido tenha crescido num lar onde mamãe mandava no galinheiro e dizia ao galo o que fazer. Papai simplesmente concordava com tudo para não balançar a canoa. Isso quer dizer que seu marido não cresceu diante de uma imagem masculina forte em sua casa e pode ter dificuldades para saber exatamente onde um homem se encaixa na família. Sua atitude permissiva pode ter tudo que ver com a falta de conhecimento sobre como agir como líder servidor. Sua tradução de Efésios 5:21 é: “Vou me submeter à minha esposa de modo que nem ela nem ninguém mais fique chateado. Tudo está bom para mim”.

Se esse é o seu homem, será preciso esforçar-se bastante para incluí-lo. Pergunte o que ele pensa, diga-lhe que a opinião dele é importante para você. Reafirme seu papel na família como líder e lentamente comece a transferir para ele algumas decisões que ele normalmente não tomaria.

Incentive, mas não elogie

Você já se sentiu desconfortável quando alguém o elogiou? Por que você acha que isso acontece?

Provavelmente porque muitas vezes o elogio parece falso. E é falso. “Oh, Jennifer, simplesmente adorei seu corte de cabelo!" "Kevin, você tocou aquela música muito bem!" A verdade é que o cabelo de Jennifer está ridículo — seu filho de quatro anos poderia ter realizado um corte melhor —, e Kevin não tocou uma única nota afinada no trompete.

Mas incentivo é diferente. "John, gostei muito de você ter gastado um tempo extra para pegar o jantar nesse dia tão estressante para mim." E: "As flores que você me mandou, sem uma razão especial, fizeram que me sentisse muito amada. Como você sempre adivinha quando preciso disso? Aqui está um grande abraço e um beijo... e haverá mais coisas depois!".

Em resumo, o elogio tira algo do coração. O incentivo coloca alguma coisa no coração.

Como você pode incentivar seu homem hoje? Preste atenção nele, admire-o e aprecie-o. Mas faça isso por meio de um incentivo real, não de um elogio falso.

Orem juntos e um pelo outro

Meu colega John Trent apresenta os resultados de um estudo sobre casais e oração. Casais que oram juntos de três a quatro vezes por semana apresentam um divórcio a cada 1.052. Precisei voltar a fita diversas vezes para ter certeza de que ouvira corretamente. (É bom lembrar que a pesquisa de George Barna afirma que aqueles que creem em Deus e os que não creem apresentam praticamente a mesma taxa de divórcio. Portanto, não é apenas *crença* ou *fé* que vai ajudar você a manter seu casamento, mas *orar juntos e um pelo outro*.)

Compare esses dados com a média nacional e você vai realmente parar para pensar. A maioria dos parceiros casados tem o estilo de vida do "solteiro casado": vocês fazem coisas de maneira independente, de modo que não há muitas coisas a compartilhar com seu marido para que o relacionamento prossiga depois de algum tempo.

Quando, no entanto, vocês são atraídos um ao outro emocional, física *e* espiritualmente, é raro que esse elo se rompa!

Se quiser saber o que está no coração de seu marido, o que está na mente dele, ore por ele. Pode ser desconfortável no início, se vocês não estiverem acostumados, mas as recompensas para o relacionamento serão fenomenais.

Estabeleça seu lar firmemente sobre sua fé

Josué, um líder do Antigo Testamento, falando já próximo do fim de sua vida, foi inflexível em relação à sua fé e como ela afetou sua família e a vida no seu lar. "Mas, eu e a minha família serviremos ao SENHOR".[4]

Se alguém desse uma boa olhada em sua agenda ou participasse de uma discussão em família, o que essas coisas diriam sobre a pessoa a quem você está servindo? Está servindo a si mesma? A outros? A Deus?

Todos nós servimos a alguém. Quem é mais importante para você? E de que maneira sua vida reflete essa prioridade?

Um cordão de três dobras — Deus, você e sua família — não se rompe com facilidade.[5]

Neste nosso mundo de hoje, isso é algo maravilhoso a que se apegar.

CONCLUSÃO

Fale a língua dele

Passamos um livro inteiro falando sobre o que motiva seu homem, o que o desmotiva e como você pode fazer que seu relacionamento seja satisfatório e recompensador para os dois.

Agora que você já sabe quais são as três necessidades básicas de um homem — ser respeitado, ser necessário e ser satisfeito — para onde vai a partir deste ponto? Como vai agir diante das sete coisas que descobriu que ele nunca lhe contaria, mas que você precisava saber? Qual é a melhor maneira de falar a linguagem do seu homem?[1]

Isso é amor!

Serei direto. Embora eu seja psicólogo, existem poucos livros no campo da psicologia aplicada que considero dignos de serem lidos. Mas um deles foi escrito por um colega meu, Gary Chapman. Seu livro maravilhoso intitulado *As cinco linguagens do amor* já fez muitas árvores desistirem de viver. Mas recomendo esse trabalho brilhante. Ele deu a muitos de nós uma base para entender como nós — e aqueles a quem amamos — dão e recebem amor da melhor maneira.[2]

Creio que o conceito é particularmente importante na área do relacionamento homem-mulher. Especialmente quando vocês já têm tantas diferenças inatas.

Porém, como é possível descobrir a linguagem do amor do seu homem?

É improvável que ele se levante pela manhã pensando: "Mal posso esperar para dizer a ela qual é a minha linguagem do amor". Você vai ter de descobrir. Mas isso é mais fácil do que você imagina. Simplesmente ouça as reclamações que ele faz! "Você nunca..." Ou: "Você sempre...". Ou: "Não consigo...". Os homens são conhecidos por gemerem como cachorrinhos quando alguém pisa no calo deles.

As pessoas expressam seu amor de maneiras diferentes, diz Gary Chapman. E elas esperam receber amor da mesma maneira. Se você não entender essa expectativa, que não é expressa verbalmente, ela poderá causar problemas ao relacionamento. Mas, à medida que identificar sua própria linguagem do amor e a do seu homem, você poderá aprender a falar uma linguagem comum que trará muito mais satisfação e alegria ao seu casamento.

Veja a seguir um resumo das cinco linguagens do amor. Veja se você consegue identificar a sua... e também a do seu homem.

Palavras de afirmação

As pessoas que usam essa linguagem do amor tendem a ser verbais, pois se sentem à vontade com as palavras. Elas se expressam muito bem. Usam palavras de afirmação para animar os outros. São excelentes em fazer elogios sinceros e oferecer palavras de incentivo. Sempre têm algo agradável a dizer sobre sua aparência, talentos, realizações ou atitude.

O lado ruim dessa linguagem do amor é que aqueles que a possuem também esperam palavras agradáveis em troca. Podem se sentir negligenciados ao não ouvir palavras afirmativas similares de seus parceiros. Também podem exagerar seus elogios e, assim, as palavras perdem um pouco de seu significado. Pessoas não verbais não confiam em palavras tanto quanto as pessoas verbais, de modo que podem ler falta de sinceridade ou sarcasmo em todo tipo de comentário inocente.

Tempo de qualidade

As pessoas que usam essa linguagem do amor adoram fazer coisas juntas — viajar, sair para jantar, andar de patins, acampar. Willard Harley chama isso de "companhia recreativa" — fazer coisas que você ama fazer com a pessoa com quem você ama fazê-las. É como *namorar*, quando se pensa mais no termo — algo que muitos casais ocupados se esquecem de fazer depois que se casam.

Mas perceba que há uma diferença entre simplesmente ocupar espaço ao lado da pessoa no sofá e realmente *se envolver* com aquela pessoa, dando-lhe atenção total.

Identifico-me com essa linguagem, pois é a minha. Sempre que estou sozinho com Sande, sou um cara feliz. O problema é que tais momentos não acontecem na quantidade suficiente. Se quiser ter tempo de qualidade com minha esposa, com tudo o que acontece em minha casa, preciso ir para o banheiro da suíte principal e trancar e aparafusar a porta em quatro lugares. Às vezes você precisa lutar por seu tempo de qualidade!

Presentes

Para as pessoas que usam essa linguagem do amor, "presentes são símbolos visuais do amor", diz Chapman.[3] Essas pessoas adoram dar presentes... e o fazem prodigamente. O ato de dar não implica esbanjar grandes somas de dinheiro. Uma flor silvestre colhida à beira de uma estrada pode significar tanto quanto um bracelete de diamantes. É mais uma questão de envolvimento, de interesse, de cuidado.

O outro lado do presenteador é que ele pode sentir-se ferido se você não mostrar apreciação por seu presente.

Sande é uma presenteadora. Ela *inventa* razões para dar presentes às pessoas. Na noite anterior à visita de amigos em casa, ela prepara pequenos biscoitos em forma de coração para colocar em lembrancinhas que os convidados podem levar para casa (lembra-se dos "pacotes" que ela precisou buscar dentro de casa?).

Não tenho a mesma natureza do presenteador. Imagino que já estamos dando o jantar às pessoas; por que é que *eu* não posso comer os biscoitos?

Atos de serviço

As pessoas que usam essa linguagem do amor veem o amor em termos de *fazer coisas para os outros*. Isso significa coisas além da "expectativa normal" das obrigações. Mas aqui está o problema. A maioria dos casais não tem uma definição clara sobre "o que é normal" em relação às tarefas doméstica assim, como saber o que é extra? Ela, por exemplo, pode sempre preparar o jantar, mas hoje à noite prepara a sobremesa favorita dele. Isso é extra. Ele pode sempre limpar o banheiro, mas hoje limpa a cozinha também, de modo que ela não tenha de fazê-lo. Isso é extra. Isso é um ato de serviço.

Aqui está a armadilha dessa linguagem do amor. Muitos homens fogem do trabalho. Talvez seja assim porque vivemos numa cultura na qual as mulheres fazem dois terços do serviço. Portanto, se seu homem tem a linguagem do amor de atos de serviço, parabéns a você e parabéns a ele!

Toque físico

As pessoas que usam essa linguagem do amor valorizam o poder do toque — beijos, segurar as mãos, dar abraços, fazer carinho nas costas. É assim que elas mostram amor, e é dessa maneira que gostam de recebê-lo.

Também conheço essa linguagem muito bem. Pergunte à minha esposa. Sou um tocador e gosto muito de ser tocado. É assim que mostro amor, e é como gosto de recebê-lo.

Eliminando o abismo da linguagem

É possível usar mais de uma linguagem do amor? Certamente. Sou uma pessoa que fala tanto a linguagem de tempo de qualidade quanto a de toque físico. Sande gosta muito de dar presentes e de atos de serviço.

Somos tão diferentes quanto poderíamos ser. Contudo, aprendemos a fazer que nossas linguagens do amor trabalhem juntas numa maravilhosa harmonia.

Você também pode fazer isso. Veja a seguir um exemplo de como isso pode funcionar.

Digamos que sua linguagem do amor sejam atos de serviço. A do seu marido é toque físico bem como palavras de afirmação. Da próxima vez que você o vir fazendo algo maravilhoso — como cortar a grama, embora não seja a vez dele —, olhe direto nos seus olhos, acaricie suas costas, abrace-o e diga-lhe quanto aquilo é importante para você.

Por tê-lo tocado e dito quanto aquilo era importante, ele agirá como um *golden retriever* feliz, abanando a cauda para você. Vai sentar, rolar e latir da próxima vez que você quiser que algo seja feito.

Tudo o que você tem a fazer é incentivá-lo, dar-lhe tapinhas, afeição, abraços, dizer-lhe que ele é um bom menino e colocar ração e água frescas em sua tigela todos os dias. Se você fizer essas coisas simples, ele será o cão mais feliz do mundo!

Hum... é interessante notar como os homens são semelhantes aos *golden retrievers*... e como nossas necessidades são realmente simples.

Assim, por que não identificar a linguagem do amor de cada um de vocês? Depois, use essa descoberta para estimular um pouco de conversa entre vocês sobre como cada um pode mostrar amor ao outro *da melhor maneira que puderem entender e recebê-lo.*

Mudar... quem?

As mulheres gastam bilhões de dólares por ano cobrindo manchas e defeitos. Você provavelmente tem pintura de guerra suficiente nas gavetas do banheiro para cobrir qualquer coisa que aflija seu rosto. Você é especialista em disfarce.

O fato é que você sabe que uma maquiagem pode ajudar na conquista de um homem, mas que não necessariamente vai ajudá-la a manter um homem. Na realidade, anseia pelo tipo de homem que vai amá-la quando você estiver nervosa, quando se portar mal, quando arranhar o carro num poste, quando disser algo indelicado ou quando tiver um bafo matinal capaz de matar uma barata. Você anseia pelo tipo de homem que diz: "Querida, amo você nesta época do mês, amo você depois dessa época do mês e amo você nos dez dias que antecedem essa época do mês".

Esse homem com quem você se casou, imperfeito como é, é um presente vindo de Deus para você. Qual será sua opção: proteger, honrar, respeitar e amar esse presente ou criticá-lo por meio de suas palavras, atitudes e ações?

Você pode ler todos os livros de psicólogos famosos ou o mais recente sucesso do momento e, mesmo assim, esses livros não farão a mínima diferença se você não disser a si mesma: "Ok, você quer mudar o comportamento dele, não é? Então, mude o seu!".

Se formos honestos, precisamos admitir que é muito mais fácil apontar o dedo para outra pessoa do que virar a mão e apontar o dedo acusador para si mesmo. Pouquíssimas pessoas tomam a iniciativa de dizer: "Olha, sou assim mesmo e aceito a responsabilidade por isso".

O casamento, porém, é uma rua de mão dupla. Cada parceiro é responsável por seu próprio comportamento. Isso significa que é *sua* a decisão de pensar e agir diferentemente — de uma maneira que mostre ao seu homem que você o respeita, que precisa dele e que quer satisfazê-lo.

Se quiser mudar seu próprio comportamento, pare e pergunte: "Se a situação ocorresse neste exato momento, o que eu normalmente faria?". Então, analise tais ações. Pergunte: "Com isso em mente, e ciente de que estou tentando mudar, o que devo fazer em seguida?".

A surpresa é que às vezes você não sentirá vontade de dar esse próximo passo. Quem sente? Todos nós somos criaturas de hábitos. Quando se casa pela terceira vez, uma mulher diz a si mesma que comprou um carro novo. Ela está errada. Ela comprou o mesmo carro antigo. Ele pode ter uma pintura diferente e outros pneus, mas o motor que levou para casa é basicamente o mesmo. É por isso que sempre digo às pessoas que é mais fácil retificar aquilo que você já tem (você mesma, bem como seu parceiro) e fazer o que é certo no primeiro casamento.

Acontece uma coisa engraçada quando você começa a lidar de maneira saudável consigo mesma, com seu marido e seu casamento: os sentimentos se alinham com as ações! Quando você muda de comportamento para ajudar seu casamento a permanecer numa rota tranquila, dá ao seu parceiro a liberdade para que ele mude de comportamento porque ele *quer mudar*, em vez de *ser forçado a mudar*.

Estava em Atlanta, Georgia, na semana passada. Sempre que vou falar em alguma cidade, costumo contratar alguém que me leve do hotel ao local da reunião e garanta que minhas necessidades sejam atendidas (tradução: faço isso para não me perder no caminho entre o ponto A e o ponto B). Eu e Billy passamos momentos agradáveis durante o café da manhã numa lanchonete. Ele é o típico cavalheiro sulista, um empresário bem-sucedido que dirige um grande utilitário esportivo. Ele e sua esposa compareceram às reuniões onde falei.

Depois de terminar a palestra, Billy me levou ao aeroporto.

— Dr. Leman — disse ele —, aprendi uma coisa sobre minha esposa em sua palestra. O senhor se lembra de quando lhe levei uma garrafa com água enquanto o senhor falava?

Concordei, balançando a cabeça.

— Certamente. Aquilo foi ótimo.

— Bem, esta é a razão de eu ter feito aquilo. Enquanto ouvia o senhor falar, minha esposa me sussurrou: "Essa água é sua?", apontando para uma garrafa que estava próxima do meu pé. Concordei e recostei-me para continuar ouvindo. Alguns minutos depois, ela sussurrou: "Parece que ele está com sede".

Billy riu.

— Doutor, antes de sua fala na noite passada, eu não teria feito nada em resposta àquela pergunta. Mas lembrei-me do que o senhor dissera. As mulheres querem que sejamos capazes de ler a mente delas. Essa é uma das maneiras de elas se sentirem amadas. Querem que entendamos o que estão dizendo... ainda que não digam. Quando me perguntou: "Essa água é sua?", minha esposa deu-me a primeira pista. Mas aquilo só me fez pensar: "Será que ela quer um gole?". Quando, porém, ela disse que parecia que o senhor estava com sede, aquela foi a segunda pista. E eu sabia qual era minha tarefa como marido: levar a água até o senhor.

Billy sacou. Ele realmente havia aprendido algo.

Por meio daquele pequeno ato, ele disse à esposa: "Você é a prioridade maior da minha vida. O que é importante para você é importante para mim".

O que é importante para seu homem? Como você pretende satisfazer suas três necessidades principais? Como você vai reagir aos sete segredos que ele nunca vai lhe contar... mas que você precisa saber?

Um relacionamento conjugal sadio e feliz baseia-se em agradar um ao outro, ser sensível e estar ligado nas necessidades emocionais e sexuais um do outro, compartilhar pensamentos e sentimentos íntimos e entender as diferentes linguagens por meio das quais ambos expressam seu amor.

É um trabalho para a vida toda. Mas, ah, quantos benefícios!

A parceria gratificante espera por você; portanto, entre de cabeça!

Seu herói particular espera por você...

Os dez principais conselhos conjugais

10. A chave para entender um marido é decodificar seus grunhidos.
9. A vida é 10% do que você faz dela e 90% do que tira dela. (Irving Berlin).
8. Os homens *precisam* estar no comando do controle remoto da televisão. Deixe-o com ele.
7. Abra "espaços" em sua proximidade. Os meninos precisam de tempo para ser meninos, e as meninas precisam de tempo para ser meninas, sem que o sexo oposto fique olhando por cima de seus ombros.
6. Aqueles que puxam os remos juntos não têm tempo para chacoalhar o bote.
5. Riam juntos cem vezes por dia.
4. Não pensem do mesmo jeito; pensem *juntos*.
3. Para que o casamento possa transbordar
   Do amor do amoroso cálice,
   Se estiver errado, admita;

Se estiver certo, cale-se. (Ogden Nash)

2. Antes de entregar ao seu marido um pouco do que vai em sua mente, certifique-se de que *você* possa guardá-lo.
1. Beijem-se o dia inteiro. (Beaumont and Fletcher, *Scornful Lady*)

EPÍLOGO

Participando da corrida... juntos

ALGO MUITO ESPECIAL aconteceu nos Jogos Paraolímpicos alguns anos atrás. Os participantes sorridentes estavam alinhados para a prova de cem metros rasos. Ao sinal, todos largaram, com o objetivo de alcançar a linha de chegada e vencer a prova.

Durante a prova, um dos participantes caiu. Lágrimas correram pela face do jovem, sentado na raia, sentindo-se derrotado, sem valor e ferido.

O que aconteceu em seguida tornou-se um dos momentos mais memoráveis da história dos esportes. *Todos* os corredores da Paraolimpíada se voltaram para o rapaz que caíra. Reuniram-se em torno dele, abraçaram-no e *juntos* cruzaram a linha de chegada.

Não havia olhos no estádio dos quais não estivessem escorrendo lágrimas.

O que tornou esse momento em particular tão memorável? O fato de isso ser tão contrário à nossa natureza humana que, egoisticamente, busca apenas nossos próprios objetivos. Quando uma mulher feriu seriamente a perna nos Jogos Olímpicos tradicionais, ninguém parou para ajudá-la. Ninguém. Se o tivessem feito, sabe qual tipo de cobertura jornalística teriam recebido? Teria sido o evento do ano. Momento Mais Inesquecível dos Esportes.

Mas os corredores da Paraolimpíada, embora concentrados em sua corrida pessoal em busca da vitória, pararam todos para colocar um jovenzinho em primeiro lugar. Eram uma família, juntos no propósito de participar da corrida. Foram sensíveis uns aos outros porque cada um sabia que também tinha suas próprias deficiências. Qualquer um deles poderia ter caído naquele dia.

Os corredores da Paraolimpíada podem não ter ganhado nenhuma medalha individual naquele dia, mas fizeram o que era mais importante: participaram da corrida *juntos*. Isso transformou todos em vencedores, não apenas aos olhos dos outros, mas em seu próprio coração, que é onde realmente importa.

Você e seu homem também estão participando de uma corrida juntos a cada dia. Estão dispostos a parar e voltar para ajudar um ao outro durante a jornada, ao mesmo tempo que cada um busca seus objetivos individuais? Serão uma família, unidos para alcançar um objetivo comum?

Somente quando participarem juntos da corrida — como homem e mulher — é que vocês crescerão em graça e compreensão não apenas um do outro, mas de si mesmos.

Talvez não ganhem prêmios individuais, mas ganharão o melhor prêmio de todos: um casamento recompensador para a vida toda.

Ele será respeitado, sentirá que é necessário e será satisfeito por você.

Todo dia, você receberá dele afeição, comunicação aberta e honesta e compromisso com a família.

Vocês terão o casamento que sempre desejaram.

NOTAS

Introdução

[1] D. e R. Mace. "Enriching Marriages: The Foundation Stone of Family Strength", em *Family Strenghts: Positive Models for Family Life*. Nick Stinnett et al., eds. Lincoln, Neb.: University of Nebraska Press, 1980, p. 197-215.

Capítulo 1

[1] Deborah Tannen, *You Just Don't Understand*, p. 42.
[2] Idem, p. 81-82.
[3] Idem, p. 82-83.

Capítulo 2

[1] Você poderá obter mais informações sobre isso em meu livro *What a Difference a Daddy Makes.*
[2] Você poderá obter mais informações sobre isso em meu livro *Faça a cabeça de seus filhos — sem peder a sua.*
[3] Paul Candon. "Brain Structure May Influence Male-Female Behavior Differences", *Cerebral Cortex*, dez. de 1999.
[4] Jane Everhart. "Male, Female Differences Can Impact Treatment Regimens", *New York Times* Syndicate, 28 de dez. de 1999.
[5] Idem.
[6] Gênesis 2:18.
[7] *The Quest Study Bible*, Nova Versão Internacional, comentário da página 5 sobre Gênesis 2—3.
[8] Leia mais sobre esse assunto em meu livro *Mais velho, do meio ou caçula: A ordem do nascimento revela quem você é, no prelo.*

Capítulo 3

[1] Mateus 10:8.
[2] Lucas 6:38.
[3] Provérbios 21:26, RA.

Capítulo 4

[1] Leia mais sobre esse assunto em meu livro *Pleasers.*

Capítulo 5

[1] Alan Booth e David Johnson. "Premarital Co-habitation and Marital Success", *Journal of Family Issues* 9, 1988, p. 261-270. Esta e várias outras citações desta seção foram extraídas de Wade Horn, *Father Facts*, p. 46ss.
[2] Judas 21, BV.
[3] Nancy Stedman. "Love Your Body", *Redbook*, mai. de 2001, p. 46.
[4] Susan Crain Bakos. "The Sex Trick Busy Couples Swear By", *Redbook*, 2001, p. 125.
[5] Idem.
[6] "You Told Us", *Redbook*, fev. de 2001, p. 12.
[7] Esse tópico e muitos outros são abordados em meu livro *O sexo começa na cozinha*.

Capítulo 6
[1] Efésios 4:15.
[2] Efésios 5:33.

Capítulo 7
[1] Lisa Beamer e Ken Abraham. *Let's Roll!* Um livro extraordinário, escrito pela esposa de Todd Beamer. Nele você encontrará esperança, inspiração e força para prosseguir em sua própria jornada.
[2] Idem, p. 15.
[3] Efésios 5:25.
[4] Josué 24:15.
[5] Cf. Eclesiastes 4:12.

Conclusão
[1] Algumas partes deste capítulo foram adaptadas de meu livro *O sexo começa na cozinha*.
[2] Gary Chapman. *As cinco linguagens do amor*, 2ª ed., 2006.
[3] Idem, p. 75.

Epílogo

[1] História adaptada de "Who Lifts You? And Who Do You Lift?", *The Word for Today*, 2 de out. de 2006, p. 21.

BIBLIOGRAFIA

ALLENDER, Dan. *Lágrimas secretas*. São Paulo: Mundo Cristão,1999.

BEAMER, Lisa e ABRAHAM, Ken. *Let's Roll! Ordinary People, Extraordinary Courage*. Carol Stream, IL: Tyndale House Publishers, 2002.

CHAPMAN, Gary. *As cinco linguagens do amor*. São Paulo: Mundo Cristão, 2006.

ELDREDGE, John. *Wild at Heart*. Nashville: Thomas Nelson, 2001. [Publicado no Brasil como *Coração Selvagem*. Rio de Janeiro: CPAD, 2004.]

HARLEY JR., William F. *His Needs, Her Needs for Parents*. Grand Rapids, MI: Fleming H. Revell, 2003.

HORN, Wade. *Father Facts*, 3ª ed. Gaithersburg, MD: The National Fatherhood Initiative, s.d.

LEMAN, Kevin. *Pleasers*. Grand Rapids, MI: Fleming H. Revell, 1987, 2006.

_____. *Making Your Children Mind without Losing Yours*. Grand Rapids, MI: Fleming H. Revell, 2000. [Publicado no Brasil como *Faça a cabeça de seus filhos — sem perder a sua*. Rio de Janeiro: Alta Books, 2003.]

_____. *O sexo começa na cozinha*. São Paulo: Mundo Cristão, 2001.

_____. *Mais velho, do meio ou caçula. A ordem do nascimento revela quem você é*. São Paulo: Mundo Cristão, no prelo.

_____. *What a Difference a Daddy Makes*. Nashville, TN: Thomas Nelson Publishers, 2000.

SCHLESSINGER, Laura. *Do que os homens gostam*. Rio de Janeiro: Sextante, 2005.

SMALLEY, Gary. *The DNA of Relationships*. Carol Stream, IL: Tyndale, 2004. [Publicado no Brasil como *O DNA dos relacionamentos: descubra que você foi projetado para relacionamentos satisfatórios*. São Paulo: UP, 2007.]

TANNEN, Deborah. *You Just Don't Understand*. New York: Quill, HarperCollins, 2001. [Publicado no Brasil como *Você simplesmente não me entende*. São Paulo: Best Seller, 1992.]

The Quest Study Bible, Nova Versão Internacional. [Publicado no Brasil como *Bíblia de Estudo Vida*, Revista e Atualizada. São Paulo: Vida, 1998.]

TESTES

Introdução

Qual seu grau de satisfação?

a. Poderia ficar com meu homem 24 horas por dia e ainda querer mais. Não quero ficar longe dele nunca.
b. Amo meu homem, mas é bom conversar com uma amiga de vez em quando.
c. A festa de testosterona na garagem está me deixando louca. Será que eu, mulher, tenho alguma importância por aqui?
d. Há alguém aí que queira trocar de marido por um dia, uma semana, talvez um ano?

Segredo número 1

Como vocês estão se comunicando?

Há muitos tipos de conversa que você pode ter com seu cônjuge.

- Clichês
- Fatos
- Ideias/opiniões
- Necessidades/sentimentos
- Autenticidade pessoal completa

Categorize cada uma das declarações a seguir com *C* para clichês, *F* para fatos, *I* para ideias/opiniões, *N* para necessidades/sentimentos ou *A* para autenticidade pessoal completa.

____ "Bom-dia, querida!"

____ "Você poderia sair do trabalho e vir direto para casa na quarta-feira? Preciso de sua ajuda para arrumar as coisas antes que os Lewis cheguem para o jantar."

____ "Tenho saudades da Lili. Será que poderíamos ter outro cachorro?"

____ "Chegarei em casa às dezessete horas hoje."

____ "Francine acabou de me dizer que o Jordan se alistou no Exército. Ela e o marido ficaram chocados."

____ "Desde que assisti àquele programa na televisão sobre câncer de mama, aquilo ficou em minha cabeça. Fico preocupada em ter isso algum dia. O que aconteceria com você? E com as crianças?"

____ "Você acha que deveríamos separar algum dinheiro para uma viagem de férias especial no ano que vem, uma vez que será nosso décimo aniversário de casamento?"

____ "E como foi o seu dia?"

____ "Vai esfriar hoje."

____ "Vou levar a Angie para comprar um casaco novo. Ela está crescendo."

____ "Desde que mamãe morreu, não consigo livrar-me dessa solidão que sinto. Tenho a impressão de que perdi não apenas a mamãe, mas uma parte de mim mesma."

Quais tipos de conversa são mais comuns em seu relacionamento? Por quê?

Segredo número 2

Por que um homem não para a fim de pedir informações?

a. Isso é indigno dele.
b Ele precisa descobrir tudo sozinho.
c. Ele sabe aonde está indo.
d. Ele não gosta de pedir ajuda aos outros.
e. Ele ainda não precisa ir ao banheiro.
f. Ele pensa: "Ainda consigo resolver isso".

Segredo número 3

Se ele limpar a casa inteira e se oferecer para levá-la ao *shopping* para comprar roupas, isso quer dizer que:

a. Ele acabou de comprar um conjunto caríssimo de tacos de golfe.
b. Ele traiu você.
c. Ele percebeu hoje de manhã que seu aniversário foi em fevereiro, não em maio.
d. Ele acha que você precisa melhorar o guarda-roupa.
e. Ele tem esperanças de sair-se bem hoje à noite.

Segredo Número 4

Você conhece esta mulher?

Você já se pegou:

a. Dizendo sim quando queria dizer "não, não, NÃO!"?
b. Rindo de uma piada que não entendeu para que ninguém se sentisse magoado (e você não aparentasse ser mal-humorada)?
c. Jurando que nunca mais seria a responsável pelo bazar das mulheres? (O problema é que você já disse isso nos últimos seis anos.)
d. Sorrindo e elogiando sua sogra pela comida que preparou, quando, na verdade, você simplesmente odiou aquele prato?
e. Recusando-se a devolver o salmão à cozinha do restaurante quando ele chega ao seu prato ainda nadando?

Você conhece este homem?

a. Ele está sempre certo.
b. Ele fala sobre mulheres com raiva e desrespeito.
c. Quando está errado, joga a culpa em outra pessoa.
d. Tem um ataque ou se afasta num silêncio indiferente quando as coisas não saem do jeito dele.
e. Depois de uma briga, iguala fazer amor a fazer as pazes.

f. Precisa ganhar em tudo — nos negócios, no pingue-pongue e no amor.
g. Costuma reclamar que seus empregados ou supervisores não sabem o que estão fazendo.
h. É muito hábil em fazê-la sentir-se culpada, embora você saiba que tinha razão e que estava fazendo o que era certo.

Esse teste foi adaptado do livro do Kevin Leman intitulado *Pleasers*

Segredo número 5

O que os pesquisadores dizem sobre o momento em que os homens preferem fazer sexo?

a. Qualquer dia, qualquer hora.
b. No início do dia.
c. No final do dia.
d. O dia inteiro.

O que os pesquisadores dizem sobre o momento em que as mulheres preferem fazer sexo?

a. Qualquer dia, qualquer hora.
b. De manhã bem cedo, antes de arrumar o cabelo e passar maquiagem, para que não se estraguem.
c. Depois de um jantar romântico.
d. Depois de as crianças dormirem.
e. Quando as crianças não estão em casa.

Segredo número 6

Oferecer ao marido de sua amiga o resto do filé-mignon no jantar é:

a. Tranquilo. A verdade é que aquele bife parecia de um animal atropelado na rua, mas Phil o comeria de qualquer jeito.
b. Um gesto bondoso e atencioso (Phil parecia querer mais).

c. Uma maneira segura de reduzir pela metade sua ingestão de gordura para aquele dia.
d. Uma grosseria. Você o ofereceu porque ele parecia tão esfomeado, mas nem sonhou que você perceberia.

Segredo número 7

Por que é tão difícil para seu homem ser o seu herói?
a. Porque você faz tudo — e tudo muito bem.
b. Porque você é muito ocupada.
c. Porque você não consegue parar tempo suficiente para que ele a ajude ou a agrade.
d. Porque ele teme que você encontre defeitos em tudo o que ele faz.

Conclusão

Qual é a linguagem do amor do seu homem?
a. Palavras de afirmação
b. Tempo de qualidade
c. Presentes
d. Atos de serviço
e. Toque físico

O que é mais importante para você?
a. Ouvir a frase: "Eu te amo, querida" ou vê-la escrita num cartão.
b. Passar um tempo tranquilo com seu homem — só vocês dois.
c. Receber flores sem que haja uma ocasião especial, mas simplesmente porque ele a ama.
d. O fato de ele limpar o banheiro para você mesmo quando não for a vez dele.
e. Receber um beijo toda vez que ele entra ou sai pela porta.

Introdução

Respostas:

a. Vocês ainda estão na lua de mel. Espere até o dia em que seu marido pegar uma gripe.

Parabéns. Sua ideia está correta. Rapazes precisam de rapazes como amigos, e mulheres precisam de amigas. Se ambos gastarem tempo com os amigos, seu casamento será mais forte, pois você não se sentirá tentada a transformar seu cara durão numa amiga.

b. Parece que seu menino está sendo exatamente isso: um menino. Talvez você precise lembrá-lo (gentilmente) de algumas de suas responsabilidades de gente grande. Se tudo o mais falhar, balance uma de suas calcinhas mais provocantes bem diante do nariz dele quando ele for até a cozinha em busca de um refrigerante. Você ficará surpresa com a velocidade com que os rapazes desaparecerão de sua garagem. Depois de sua "festinha" particular, seu marido estará muito mais disposto a dar atenção a você e às tarefas que precisam ser realizadas em casa.

c. Você precisa conversar com seu cônjuge. Perceba que eu não disse *confrontar* seu cônjuge. Assim que puder, num ambiente agradável e convidativo (sem cachorros e filhos), diga ao seu marido quanto você o ama. Abra o coração. Diga-lhe quanto ele significa para você e quanto ele é importante em sua vida. Diga-lhe quanto o respeita e precisa dele. Diga-lhe quanto é importante para você que ele se sinta satisfeito no casamento — e que você também se sinta. Então, cuidadosamente, levante o assunto que a tem perturbado, usando a linguagem do "eu". "Talvez eu não esteja entendendo a situação, mas sinto-me machucada quando..." Evite o tom e o dedo acusador do "você". Entenda que nós, homens, às vezes somos tão estúpidos quanto uma porta na questão dos relacionamentos. Precisamos que as coisas nos sejam explicadas, mas *sempre*, *sempre* com respeito.

Segredo número 1

Respostas:

C "Bom-dia, querida!"

N “Você poderia sair do trabalho e vir direto para casa na quarta-feira? Preciso de sua ajuda para arrumar as coisas antes que os Lewis cheguem para o jantar.”
N “Tenho saudades da Lili. Será que poderíamos ter outro cachorro?”
F “Chegarei em casa às dezessete horas hoje.”
F “Francine acabou de me dizer que o Jordan se alistou no Exército. Ela e o marido ficaram chocados.”
A “Desde que assisti àquele programa na televisão sobre câncer de mama, aquilo ficou em minha cabeça. Fico preocupada em ter isso algum dia. O que aconteceria com você? E com as crianças?”
I “Você acha que deveríamos separar algum dinheiro para uma viagem de férias especial no ano que vem, uma vez que será nosso décimo aniversário de casamento?”
C “E como foi o seu dia?”
F “Vai esfriar hoje.”
F “Vou levar a Angie para comprar um casaco novo. Ela está crescendo.”
A “Desde que mamãe morreu, não consigo livrar-me dessa solidão que sinto. Tenho a impressão de que perdi não apenas a mamãe, mas uma parte de mim mesma.”

Segredo número 2

Resposta: Nenhuma das respostas acima. É porque ele se esforçou muito para passar todos aqueles carros.

Segredo número 3

Resposta: Ele finalmente encomendou aquele barco que sempre quis, mas ainda não tem coragem de lhe contar. Imagina que você ficará muito mais feliz diante das notícias depois que fizer sua própria farra de compras!

Segredo número 4

Resposta: Se você se identificou com *uma* dessas declarações, é muito provável que seja uma agradadora. Mas, se já tiver consciência desse fato, essa situação não deve controlar sua vida.

Resposta: Se concluiu que seu homem tem pelo menos um desses traços, então você se casou com um controlador. Mas você não precisa deixar que ele controle tudo em sua vida.

Segredo número 5

Resposta: Os homens não precisam de um momento, mas apenas de um lugar.

Resposta: Nenhuma das alternativas. As mulheres preferem fazer sexo no mês de junho! Mas, falando sério, os pesquisadores nos dizem que as mulheres preferem fazer sexo à noite, e não pela manhã.

Segredo número 6

Resposta: Nenhuma das alternativas. É uma violação do código não escrito do seu marido: o que é seu é dele, e ele tem preferência na escolha.

Segredo número 7

Resposta: Todas as anteriores, e muito mais!

Conclusão

Resposta: Só você pode saber isso e, se não souber, preste atenção nas reclamações do seu homem. Elas vão lhe falar em alto e bom som!

Resposta: Só você pode saber isso. Assim, por que não informar seu homem sobre isso, em vez de esperar que ele adivinhe?

Compartilhe suas impressões de leitura escrevendo para:
opiniao-do-leitor@mundocristao.com.br
Acesse nosso *site*: www.mundocristao.com.br

Diagramação: Triall Composição Editorial Ltda
Preparação: Rosa Ferreira
Revisão: Josemar de Souza Pinto
Fonte: Janson Text
Gráfica: Meta Brasil
Papel: Pólen Natural 80 g/m^2